THE BIG
BOOK OF
SU DOKU

Mark Huckvale is a Senior Lecturer in the Department of Phonetics and Linguistics at University College London. Trained as a scientist and engineer, he uses computers to research into the working of human speech. He was approached by the *Independent* newspaper in April 2005 to design Su Doku puzzles for their daily games page and Super Su Doku puzzles for their prize competitions.

THE BIG BOOK OF SU DOKU

Compiled by Mark Huckvale

ORION

An Orion paperback

First published in Great Britain in 2005
by Orion Books Ltd,
Orion House, 5 Upper St Martin's Lane,
London WC2H 9EA

3 5 7 9 10 8 6 4

A CIP catalogue record for this book is
available from the British Library.

ISBN 0 75287 766 6

Printed and bound in Great Britain by
Clays Ltd, St Ives plc

www.orionbooks.co.uk

Contents

Preface

If you haven't yet come across Su Doku, it's what the Japanese do instead of crosswords. As a nation they love puzzles, but their language doesn't lend itself to wordplay, so most of the ones they devise are logic puzzles based on pictures or numbers. Every day, you can see thousands of Japanese commuters poring over their puzzles, just as British commuters scribble away at their crosswords.

The beauty of Su Doku is twofold: you don't need to know any specific language or learned information to do it; and there is always, if the puzzle has been set correctly, one and only one solution, soluble by reasoning and elimination, with no need for guesswork. The term translates into something like 'number placing' – but don't let the word 'number' put you off: you needn't be good at maths or even mental arithmetic either. Su Doku is a pure logic puzzle, and the numbers are merely symbols; they could just as well be pictures of flowers, or geometric shapes. The key thing is that there are nine of them – and it just so happens that there are exactly nine non-composite numbers.

Although in its modern form Su Doku comes from Japan, it may well have evolved from a simpler version devised by the eighteenth-century mathematician Euler. Whatever the truth of that, the fact is that its introduction to the UK has taken the country by storm. It was first printed in *The Times* in November 2004, creating a blizzard of correspondence in that paper, and in less than six months at least four national newspapers were publishing their own Su Doku puzzles.

So sample its extraordinary appeal for yourself. But beware – Su Doku is very addictive…!

Introduction to Solving
Su Doku Puzzles

'If it was so, it might be; and if it were so, it would be: but as it isn't, it ain't. That's logic'

Lewis Carroll, *Through the Looking Glass*

Everyone can enjoy Su Doku puzzles. You don't need to be a mathematical genius nor even good at mental arithmetic – Su Doku puzzles are really logic puzzles that happen to use numbers. You look at the pattern that is given and work out what values the empty cells can take by reasoning alone.

A Su Doku puzzle is a 3x3 grid of boxes each of which contains a 3x3 grid of cells. Each cell can take a digit from 1 to 9 subject to these restrictions:

- Each puzzle row (horizontal line) must contain one and only one of each digit
- Each puzzle column (vertical line) must contain one and only one of each digit
- Each 3x3 box must contain one and only one of each digit

Here is a typical puzzle and solution:

3		4					5	7
		9						
			7		8			
8	2	6		7		5		3
4			3	2	9	6		
9			6					
	3	7	1					8
5	9		2				6	
1						7		

3	6	4	9	1	2	8	5	7
7	8	9	5	4	3	2	1	6
2	5	1	7	6	8	3	4	9
8	2	6	4	7	1	5	9	3
4	7	5	3	2	9	6	8	1
9	1	3	6	8	5	4	7	2
6	3	7	1	5	4	9	2	8
5	9	8	2	3	7	1	6	4
1	4	2	8	9	6	7	3	5

Notice how the grid lines help you identify the rows, columns and boxes. See how the sets of the digits are found in the rows, columns and boxes. But how do you get from the puzzle to the solution? How do you start? What is the best strategy? Of course it is fun to try and work it out for yourself, but if you would like some advice: read on!

Mini Su Doku

To make the ideas easier to follow, I'm going to describe first how to solve 'mini Su Doku' – a variant of Su Doku that uses a 2x2 grid of boxes containing a grid of 2x2 cells. Each row, column and 2x2 box must contain the digits 1 to 4. Here's a sample mini Su Doku puzzle and its solution.

		1	
4			
	2		
3			1

2	3	1	4
4	1	3	2
1	2	4	3
3	4	2	1

OK, let's use logic to solve puzzles like these.

RULE 1: *'When you've eliminated the impossible, whatever remains … must be the truth'*

Arthur Conan Doyle, *The Sign of Four*

In this grid what values can go in cell A? Clearly it must be 4, because the top right box that contains A already has the digits 1, 2, 3. And all boxes must contain one of each digit.

		3	1
		2	A
	3		
4			

In this grid what values can go in cell B? Looking at the top left box, we see it must be either 1 or 2 since the box already contains 3 and 4. However if we look at the top row in the whole puzzle, we see that there is already a 1 in that row, therefore cell B must be 2.

B	3	1	
4			
	2		
3			1

Similarly in this grid, what values can go in cell C? Looking at the top left box, we see it must be either 1 or 2, since the box already contains a 3 and 4. However if we look at the leftmost column we see that it already contains a 1, therefore cell C must be 2.

C			
3	4		
		1	2
1		4	

RULE 2: '*A place for everything and everything in its place*'

Whereas Rule 1 is about eliminating values that *can't* be present in a cell, Rule 2 relies on the fact that each digit has got to go *somewhere* in each row, column or box. Instead of asking 'What digits can go in this cell?' we ask, 'Where does digit *X* go?'

For example, in this grid we know a 1 has to go somewhere in the bottom row, in either position A or position B. But the column that contains B already has a 1, so the 1 has to go in cell A. (Note that if we looked at cell A using Rule 1, we could not tell whether it contained a 1 or a 4.)

	1		
	3		
			4
A	B	2	3

And in this puzzle, we know that a 3 has to go somewhere in the top row. But it can't go in cells A or B because there is already a 3 in the top left box; and it can't go in C because that column already contains a 3, so the 3 must go in cell D.

A	B	C	D
3		2	
			1
		3	

RULE 3: *'Conspicuous by its absence'*

The logic we've used so far relies on the digits we've already got in the puzzle. We check the cell or the digit we're interested in against the digits we've got already. But even the empty cells can give us information! If a digit must go in either of two empty cells in a box, and those cells are in the same column, then that digit can't go elsewhere in that column. Likewise, if a digit must go into one of two possible cells that fall in the same row, the digit can't go elsewhere in that row. Here's an example:

A	B	2	1
1	C		3
3	D	1	

In this grid, we know the top row contains a 4, but does it go in cell A or cell B? There aren't any other 4s in the puzzle to help us, but look at cells C and D. One of these cells must be a 4 (because the lower left box already contains a 1 and 3), although we don't know which. But – and this is the key

– whichever cell it goes into, there will be a 4 in the second puzzle column, so cell B cannot be a 4. So the 4 in the top row must go into cell A.

We can use the same logic in this puzzle. We know that there must be a 1 in the first column, in one of the cells A, B or C. It can't go in C, because that row already contains a 1. It can't go in B, because one of D or E must contain a 1. So a 1 must go into cell A.

A		3	2
B		D	E
3			
C	1		

Moving up to the full puzzles

The rules above work just as well in the full Su Doku puzzles in this book. We'll look at one complete example.

2	4					9		3
1		8					4	F
A	6				4	1	5	8
7	8	6	2	3	1	4	9	
4		1				3	6	
						7	8	
9	1	3		8			2	7
6	B	C					1	
D	E	7	6		9		3	

We can find out what goes into cell A using Rule 1. We can eliminate the digits 1, 2, 4, 6 and 8 because those digits are already present in the same box as A. We can also eliminate 7 and 9, since they occur in the same column as A. Lastly, we can eliminate 5, since there is already a 5 in the same row as A. By elimination, A must be 3.

We can find out where the 8 goes in the lower left box using Rule 2. We know that an 8 must go in cells B, C, D or E. But there is already an 8 in the second column, so it can't go in cells B or E. There is also an 8 in the third column, so it can't go in cell C. So the 8 must go into cell D.

We can find out what goes into cell F using Rule 3. We can eliminate the digits 1, 3, 4, 5, 8 and 9 since they are already in the top right box, and we can also eliminate 7 since there is already a 7 in the last column. This leaves 2 and 6. But the middle box on the right is missing 2, and wherever it goes it must go in the last column, so F cannot be 2: it must be 6.

That's all there is to it!

You now know all you need to know to tackle the puzzles in the book, which are arranged in increasing order of difficulty. We start with some very easy 'mini Su Doku' puzzles, then some full Su Doku puzzles that will help you hone your skills. As you get better, though, and complete more puzzles, they get harder. You'll need to use all three Rules to tackle the hardest puzzles in the book. As a special bonus, the book ends with a few 'Super' Su Doku puzzles, on a larger grid, that are not for the faint-hearted! If you finish these, award yourself the title of Su Doku Wizard!

Mark Huckvale
May 2005

PUZZLES

4	2	**3**	1
1	3	**2**	**4**
3	**1**	4	2
2	4	1	3

2	1	3	4
4	3	1	2
1	4	2	3
3	2	4	1

3	2	4	1
4	1	3	2
2	3	1	4
1	4	2	3

2	3	1	4
4	1	3	2
3	4	2	1
1	2	4	3

4	1	3	2
3	2	4	1
2	3	1	4
1	4	2	3

1	4	3	2
2	3	4	1
3	2	1	4
4	1	2	3

3	1	4	2
2	4	3	1
4	2	1	3
1	3	2	4

2	1	4	3
3	4	1	2
1	2	3	4
4	3	2	1

1	4	3	2
3	2	**1**	**4**
2	3	4	1
4	1	2	**3**

1	4	3	2
3	2	4	1
2	3	1	4
4	1	2	3

2	5	4	3	1	6
1	6	3	2	4	5
5	1	2	6	3	4
4	3	6	1	5	2
6	4	1	5	2	3
3	2	5	4	6	1

6	2	1	3	5	4
5	4	**3**	1	**2**	6
4	1	5	6	3	2
2	3	6	**5**	4	**1**
3	**6**	**2**	4	1	5
1	5	**4**	2	**6**	3

2	4	6	3	1	5
3	1	6	5	4	2
4	5	1	2	3	6
6	3	2	4	5	1
5	2	4	1	6	3
1	6	3	5	2	4

6	5	1	3	2	4
4	2	3	1	5	6
1		5		6	
2		6		1	
3	1	2		4	
5	6	4	2	3	1

6	1	5	2	3	4
4	3	2	6	1	5
2	4	3	5	6	1
5	6	1	3	4	2
1	2	6	4	5	3
3	5	4	1	2	6

6	4	5	2	1	3
3	1	2	6	4	5
5	6	3	4	2	1
1	2	4	3	5	6
4	5	6	1	3	2
2	3	1	5	6	4

1	6			3	
			6		
	5				2
	2	3	1		5
4					

		3	5		
					2
	6				
1		5			
	3	6	1		
			4		

		6			
	2				3
6		2			5
			6		
	6	5			
		4		1	

2					
		5			
5					
6		3		1	
			6		
	4			2	1

4	8	6	9	2	3	7	5	1
1	2	5	8 6	8	8 7	9	3	4
9	3	7	5	4	1	8	6	2
7	1	4	3	6	8	2	9	5
3	5	2	4	7	9	1	8	6
6	9	8	1	5	2	4	7	3
5	4	1	7	9	6	3	2	8
8	6	9	2	3	4	5	1	7
2	7	3	8	1	5	6	4	9

7	3	9	4	6	2		1	
	8		7			3		
		2	3					
	1	5		9			8	
9				1				
		4			6		7	9
	7	3					9	
1			6	7	3	2	5	
4				2	8			

5	1	6	2	4	7	6	3	8
9	8	4	6	5	3			2
2	7	3	9	8	1		4	5
1	5	2	4	6	8	3	2	9
6	3	2	5	7	9	8	1	4
8	4	9	12	3	12	5	6	7
7	2	5	3	9	6	4	8	1
4	6	8	7	1	5	2	9	3
3	9	1	8	2	4	7	5	6

3	7	1	9	4	6	8	2	5
8	6	4	2	7	5	9	1	3
2	9	5	1	3	8	6	7	4
4	3	9	6	2	7	5	8	1
5	2	8	4	1	9	3	6	7
6	1	7	8	5	3	2	4	9
1	4	3	5	6	2	7	9	8
9	5	6	7	8	4	1	3	2
7	8	2	3	9	1	4	5	6

6	3	5	9	4	2	8	7	1
4	7	2	2 5 1		8	3	9	6
1	8	9	6	7	3	5	4	2
8	6	7	3	9	1	2	5	4
2	1	3	4	8	5	7	6	9
9	5	4	2	6	7	1	3	8
5	4	8	1	3	9	6	2	7
3	9	1	7	2	6	4	8	5
7	2	6	8	5	4	9	1	3

8											
7	4		8					
		2		6	4		9	7
	8	6		1			3	2
2			5	8		7	4	6
	9		3			5		8
							6	
	3			5				
			6	3			8	9

3								
6		8	4	7	3		2	5
5		2			6	1		
9				5		8	4	2
4				9		7		
2	3	7	1		8			
		3	7	2			9	4
7	9							
							5	

		6		8	9			
7	5	2	3	4	1			
							2	3
			4	2		3		
1						8	7	
		5	9	1				
	7	3	1					8
		1		9				4
		8			5		9	

5	1	7	9	6	8	3	4	2
9	4	2	7	5	3	6	1	8
6	3	8	2	1	4	5	7	9
7	6	3	4	8	9	2	5	1
4	8	5	3	2	1	9	6	7
2	9	1	5	7	6	4	8	3
1	2	4	6	3	7	8	9	5
8	5	9	1	4	2	7	3	6
3	7	6	8	9	5	1	2	4

	1			2				8
		9						
7		2	3			5	4	9
	5		6	3				
	9				4	1		
	6	3			8			
		1			6			
6			9	7	2		1	3
					4			

				8				1
		7			9		2	4
			6		1			
	5	1				8		
				2	7	4		
4				9	5			3
7	1							5
8	6	5					3	2
	2	4						

Moderate

5	9	8	6	3	1	7	2	4
1	3	2	5	4	7	9	8	6
6	7	4	8	2	9	3	1	5
3	6	1	2	7	8	4	5	9
4	8	7	1	9	5	6	3	2
2	5	9	3	6	4	1	7	8
8	1	6	4	5	3	2	9	7
7	4	3	9	8	2	5	6	1
9	2	5	7	1	6	8	4	3

8	2	5	7	4	6		3	9
4	6	7	1	9	3	5	2	8
3	1	9	2	8	5	7	4	6
5	4	2	6	7	1	9	8	3
9	7	8	3	2		6	1	5
1	3	6	8	5	9	2	7	4
7	9	4	5	1	8	3	6	2
2	8	3	9	6	7	4	5	1
6	5	1	4	3	2	8	9	7

						7		1
6		2				3	8	
3	1				2			5
		5	7	4	1			9
	6				9	8		
	3			5	8	1		
		4	9	3				
		3		1		5		
			8					

35

8	4	1	7	9	6	5	3	2
5	7	3	**2**	**1**	**4**	8	6	**9**
2	**6**	**9**	8	5	3	4	7	1
7	2	6	4	**8**	5	1	9	3
9	**1**	**8**	3	**6**	2	**7**	4	5
4	3	**5**	1	**7**	9	**6**	**2**	**8**
3	5	7	**6**	**2**	1	9	8	4
1	**8**	2	9	**4**	7	**3**	5	6
6	**9**	4	**5**	3	**8**	2	1	**7**

Moderate

1		7			5		3	
9			7				4	
	2							1
		5			7	1		
	8	4	1					
				8		6		4
								5
2		1	4	5			6	3
	5	6					7	

			6		4	5		
3							7	
					9			2
		5	4					
9		7				1		
					7	6	5	3
4					8			7
8	2			9				4
	1	9			6			

Moderate

1								
7	9		3			6	4	
	8							
2	4			3	7			
5					1	8	2	
		8	2	6			7	9
6			7					2
					4	7		5
8		3	5	2				4

7	4	8	2	6	5	1	3	9
9	5	1	7	3	4	6	2	8
6	2	3	9	1	8	4	7	5
2	6	9	4	8	3	5	1	7
1	8	4	7	5	2	9	6	3
5	3	7	1	6	9	8	4	2
4	7	5	3	9	6	2	8	1
8	1	2	5	4	7	3	9	6
3	9	6	8	2	1	7	5	4

8	6		2	3	9	5		
							4	
			7	4	5	6		
		6			1		3	
	8	5	6	9	7	1	2	
9		1				7		
	7	3	9					
					2	8	5	
4			1					

				2				7
7	2	8		6			3	5
				3				
4		6						
5	7	3		1		6		
	3	2	1	7		9	5	
1	4		3	9				2
6				8	2	1	4	

7								
			4		8		1	7
4				6				
								8
6	2				4			
		8	9	3		5	4	
3	9					2	7	
	6				9	1		5
	4		1	2			3	6

						6		4
3	4		1	9		5	2	
	8	6					3	
	5							
	7	8	5		1		4	
	1				3			
		4	7				5	
		5	3		4	1		
1	6	2						

	1	8	6			2	4	
7	6		2	3				1
		9		5			3	
	7	6	8				9	
8							7	2
			4	2		1	6	
5	8	4	7			3	1	
		7						
						8		

5/⑨	2	5/7/9	⑥	1	5	8	3	4
3			9		4	12	12	7
8		1	7	②		9	5	6
7	8	⑨	2	4	6	3/5		1
2	1	⑥	8	7	③/4	3/5	4	9
④⑨	3		1	9		6		⑧
⑤					9			2
①				2				5
6		2				7	3

					3	5	8	
				8	4			
		7	2		1	6	3
7	2			9		8		
3	6	5		4	7	9	1	
8						3	4	
			1	5				
				6				
	9	1					2	

2		6	4		9		8	
					5			
		1		6	3		2	
					8			
6			3	7	4			8
4				5		9		
						2	1	
7		2						5
1	3		6			4	7	

Moderate

9		3	7	5	6		8	1
2	8			9				
						9		
			5	6		1	2	7
	5	7				6		
	7	8			1			2
4	6				2	7	5	9
	2							

8			2			1		
						8	2	
4		1	6	9	8	3		
2								5
	6	3	1			7		
7	8							4
				1	5			8
3								
	9	2	8	7				3

8	5	7	2					
				9			3	5
			1			2		
9	3					1		2
7				1	6	9	8	
4		1			2	5		6
		8			5			4
6								
					9			8

				4	8	9		2
8			6	2	3			7
	2		5				1	
3			9			2		
				7	1	6	5	
6				5	2	3	7	
	6			1				8
	9			3	5	1		

Moderate

		1		3	7		4	2
8	6		9		4	3	1	
				5		7		
1	9		8	6				
					1			
							3	1
					6	5	2	3
	8	2		4			9	
6							7	

2				8				4
								6
7	1			5			2	3	
	6	3		7				8
	2				4	5	6	
8	4							
5		2			7		4	8
		9	3	6	2			
6				4				3

5					2	3	1	7
		7					6	
1	6	9	5			2		
				7		8	2	
			8	1	9	5		4
							9	
	8		3					
2			4		8			
		5		9	1			

7	8						6	
			4				9	
9		2	7			5		
			6					
			5	4	7	8	3	
4		5			3	6	7	
5								2
8					4	7	1	6
6	9						5	4

Moderate

3		7						
				6	8	4		
		1			7	6	5	
				4			7	
		6		5		3		4
	6	8	4		1	2		5
1		4		2	6	8	9	7
7	2	3			5			

								7
6	5	4		9				
7		3		1		9	2	
						2	7	
	9	7		2		6	8	3
8								9
			2		4	8		
	4	8			9	7	5	6
	3							

	2		5		1			
5		8				9	7	
			7		8		4	5
3		6					1	8
			3		6			
				7				
9		3						1
7	8	4	2			6		
1								3

9		2	7		3			
	5							
		8		6			7	
8	2					7	4	
	1							
3		9	4	5	1	2	8	
7	4				2	1	3	
			6	3				7
		3	5				9	

Moderate

6				5				
	4						7	1
9			3		6		5	
			5	8	2		9	
	8			4			6	
			9	6				7
		6	7	3	8			
		4	2		5			
	7						8	9

6	7					1	2	
		3		8			9	4
			3			5		
2				7			3	
	8	1						
		4				7		
9	1	5		2			8	
8							5	
		2		1	5		4	

Moderate

1	2			6	9			
		3	2			5	6	
7	4		5				1	
						4		2
							9	
						3	8	1
	1							
2	6		9	5	7	1		
	8		1	4	3			7

5							4	
			1	5				
	7	9		3				1
								2
4		3	5	6				
	5	6				3	7	
1	8	7	2					
	9						8	
	3	4					6	

Moderate

8	9	1	5	4		2		
3	7	5	8		2	1		
4	2					7		
								6
		3	2				1	
			9	1				
						5	3	
			4		1	9	8	
5				2				7

							8	
	4							9
				1	2			
7	8			5		3	4	2
				2			1	
1		6	8			9		
5			7		3	4		
	1			4	9	5		6
4			5					3

		9	3	6				
					5	3	4	
1	6	3	4	2	7		9	
	9		2	5				
4				7	3	9	1	
8			9		1	2		3
7		4		3				2
	8			1				
9						6		

4		3	8				5	
	8			9		2		
5				1		6		
			9					5
	4		7					
				8	1		9	6
	5				4	7		
7	3			2				9
2	1					8	6	

Moderate

5	2		9	7		8		1
7			4	6	1			
						9	6	7
2		5		8				
8								
1	6	3						2
3		7			8	1		
6							7	
			4	2			5	3

2			4		7		6	
4			8					
	9		5		1	4	3	
			3				1	
8	5		2	1				
	4	7					2	
3		8			6	1		
	1							
				5	2	7		

Moderate

				4			2	1
		5	3			4		
	6	7		1				
		3	4		5			
	5	4		8		9		
		6						
			2		1	3		8
7						5		
6						7		4

		7						
3				7			8	5
1	2	9						
4			2	1	9		5	7
	8		4			9		
2					7	4	6	1
								8
	4		6	8			9	3
9								4

	9	8			7	3		
1				8	3		2	6
		6				9		
6		7	3		5			4
	1	2	8		4			
		3	7	6				
			5			7		3
3	6	9					4	
	5	1						

		9		1	6	5		
		5	9					
7			3			8	6	
5			6		2		9	
		6					2	
		4	1	9	5			
6	2		5		1	9		7
1								2
			7		3		1	

Tricky

		5	4					
		2	6			7		9
3								
						5		
			9				4	1
6	4	7		5			8	2
2		6		7		3		
				9			1	
	9	4	8					

9					6		2	
		5		2			8	
				3	5			9
		8	5	6				
					4		5	
	7	6	9		8			
				5	3		1	
		7	4			9		
	3					2		

Tricky

1		5	6				3	7
							1	
	2			7	5		8	
			3	4			7	
	1		8				2	9
8						6		
6	5			8		7		
	8		5	1				
	9	2						

	2	1				3	5	
8	9		3		4		2	
		3	7	5		8	9	
2	8					7		
9								
		4			1			
6	4		2	3				
	3	2	8					
5							3	

Tricky

								5
	1							
							8	9
3	5		8		2	9		
9		2		4	7	8	3	
7				3		2	5	6
4	7		9					8
6		5	3		1	7		
				8				

					3			
		8	2		4			1
8		3			1	7		4
5	1			2	9	3	8	
4	2		7				5	
9	7							8
	5		3		2	9	1	
			9	6				

Tricky

								3
6	2			9		5		
9	8						6	
			8				1	
3		7	1	2	5	9		
2			9					
1	9		2	7	8	3		
				4				
						1		

						3	9	4
9	1						8	
		6						
			6					
6				5			1	
2	4	1	9	7	8	6		
	7			8	9			5
5			1					2
1	9	4	2				3	

Tricky

	4	6	8	7		1		
2			5	3	1	9		
								4
			1					5
4			2	9	5			7
				8	7			
	1	7	6				3	8
5						6		

5				2			6	
					8	2		
4		3				1		
					9	7		
			8	6				
	1		7		3		8	
	8			7			3	6
	9	4	5		1			

Tricky

9	6			8				
		4	5				8	6
8		1	2			5		
	5	3		4			7	
2		7		6		1		
				7				
1	3			5			9	
			4				5	
		2	8			6		

7	3					4		
9								
			2					
		4			1		3	
	1			2		6		7
	7		6	9	8	5		
						7	1	
		7		3	5	8	9	4
3			7		9		5	

1				9	7	3		
						5		
				6				
			9				4	
	5	7						
		2	4		3			8
						1		6
		9	3		4	2	8	
	3	8		6				5

8								
					3			
			8	1	9	2	4	5
3	4		2		1			6
					4	1	9	3
5	9		3	6				2
6			9		2	3	5	
	5							
			6	7	5			9

Tricky

				1				
	4		9		6		2	5
1	5		3					9
	3	2			9	8		1
				5				
			1		2			7
	2		4	9	7	5	8	6
9						2	7	
				6	8	9		

		6						
								9
				4	2		8	3
	6			1		4		7
3	4	7	6		5	9		
	5	2		9				
		5	1	2		7		
		9	8					4
							3	1

Tricky

	5	7	6	3	8	9	1	2
6	9		2					
	8			4	9	5	6	
3	4	5		2	6			
				5		3		8
	2							
		2	3			4		6
						1	5	9
							3	

5	2	7				8		
				8				
	3	8	9	2				
				4		5		
			2		8	6	4	
	1	2			7			
	6							
1			8	5	6	4		
	9		1			3	5	

7				4			3	
		9				1		
	5	2				4		
	7		9					
8		3		5			6	
1	9	6	4	8		2		
			1	7			2	8
5						3		
3	1	7						

8		5	9	6				7
9	3	6	8		4		2	1
4	7			2	5	8		
3								
					8	6	7	
	1				6		4	3
								6
			5					
1	5	2						

4			1	5				
3	7							4
								9
8		7	9		2	1		
	4					2		
		2			3			6
	8			2	9			
	6	4	7				5	8
	5				8			7

		5	4		7			
6							5	
			3				4	
			9				6	3
8	3	4					9	2
9	1				8			4
7	8	9					3	
1				9				
	5					9	1	6

Tricky

3		1		4	9	7		
5	7	8						
			1			2		
				6	5		8	
4			7					
7	6		8			5		9
								1
	3							
9	4				3	8		6

			9	4	5			
	5	9		3		1		
		3	2			7		
			1			6		8
	1	4	7					9
	6			9	2		4	
1			5				6	
	2		6					
						9	5	7

Tricky

			1	5	2			3
	8	1	6					
9						4		
					8		4	
				4		7	3	5
	7		2		5			
4		3				6		8
8	9			1				7
7			8	2				

5				1		4		
	1		8	4				7
9	3				6			2
			7		3	6		
		6				2	7	
		5						
							8	
			6					
		8			1		9	5

9	3							4
		6	2	8	5	1		3
		2						
2		4		6				
	7			3				5
1			4	7	8	9		
	6							
			7			6	1	
4	9				6			8

		8		9	6	4		2
9	7							6
						1	5	
1	8	6					3	
5	4				3		1	
		9	2	8				
6							4	8
8	3	5			7			

Tricky

5		3						
			9	6	8			
4					2			6
7			1					3
			5		7	1		
		6	8		3	9		
9		8			1			2
			2		9	8	4	

							3	
	1	3						6
4	9						1	2
	6	2				7		
			8			5		
8		4		1	6			
					5			8
9				3	7			5
	2			9				

		5		9				7
3			2	1		9		
2	8		5	6				3
9				8		3		
					4	5		
	1					2		
		1			9			
8						6	5	
6		7	8	5	2	1	3	

								7
				5				4
3	9							1
2	3						1	
	8			1	6	7	9	2
6				7	8	3		
9		8	1	6		2		
	7		4	2	9			
	6			3	7			

Tricky

1	8			5		2		7
						6	9	
		7	3			4	2	
	5	9						
3	6	2	8		7	9	1	
7		1		2		3		
			1		6	5	4	
			4	3	9	7		

	4					2		
			6					1
6			3		4		5	
8		4				7		
			5	1				9
							3	2
	9		8			6		
	8			3				7
	3	1			2			

Tricky

		7						
		3			7		4	
				1	3	5		6
2			8		6			
						2		
	1				2	9	8	
	6	9	4					
				5	8			
					9	8		2

				9				
	7				6	1	8	9
2	1		3	7		5	4	
	4	5	9		3			
1						9		
3	9	2	6	8		4	1	
			4		7	2	9	
	8		5					

1					7	9		
	2		6				8	
4	5		2	3				
9			7			4	1	5
5					2			
							6	
					8	2		1
		7	9		4			
	4				6		9	

						6		
	1			4	5			
	5	3	9		7	8		
	9				1			
	6	5	2	8		7		1
1	8		4	7				6
		8	1			3		
5			7				6	
2				3	4			

Difficult

			1				6	
	9		7			1		
			8	9	6	3		
							4	6
6		7	5	8				2
		8	9	7	1	2		
2	1		6		8			
4		9						

						7		
	3			1	6	2	8	9
8	6		3	2	9		4	5
	2		4			8		
4		1						
		6			3			
	5	8	6	9	2			
9		2		4	8	3		

		1	9	2	4	3	5	
3				1	7			9
2	6	9	8	3		4		
	9					1		
	5		2					
					8			3
8			3	4	1		2	

						5	7	
7		8	9			3		6
		5	1	7			8	
3						1	9	4
		4		3	9		2	8
	9					6		
8		9		4			5	
5				6	7			
						8		

Difficult

		4					3	
	8							5
	9			3	6	4	8	
2	4							
	3		7		5		4	
1	6	5			4			2
	5			9	3	8		
					2			4
		9	8	6	7			

	7		1				4	
			9	7	6			5
9		3	4	8	2		1	6
4	9	5		6				
3	1		7		8	4		
7		8	2	9		3		
5					7			
				4				
2	4	7						

Difficult

		8	2	9				4
		2						6
						9	5	
	4			1	7		2	
	7			8				
8	6	3	9		5			
7	9	4	5			8		3
							9	
		5						

4								
	3	1		7	6		9	
	7	5				8	2	
	8	6		2		9		
	5							
					4			2
9							1	3
5				1	3	2		
1						4		7

			4			6	9	2
7					5	4		1
		1	2	9	3			5
				5			2	
	7		8	4	6			
		5	9	1		7		
		4						
	3				8	1		
9	8				4			

					8			
	8			5				3
3		2		6			9	
	4		7	8	3			
					4	9		
					5	4	3	6
7				4	2	5		1
2	9						8	
5								

Difficult

4												3
					4							
	7									1		5
9					8		5				1	4
2		5			7						6	
		6				4						
5							9				7	
7	8				1	2				9		
	9	4			5		6			8		

	9	6		3		8		
1			8	5		7	4	
					6			
				6		5		
5	2	4						
6	7							1
		3	9					
						4		
	6		4	7		1		5

					5			
	7	5	8			3	1	6
9	1			6	3	4	5	7
		9	4	7				3
	2				9	5	7	
8	3		1				4	
5	4					2		
					6			
3								

4			3		9	7	8	1
2					8	4	5	3
					2	8		4
6		1				9		
	8	2	4				1	7
	1			5		6		
		9						8
7	5		2					

			6		7		9	
6		1		5			4	
		3		4		5		
		7			9	2		
			8		1	6		
					6	7	8	3
5	4							
9	3	8						

1				6	8			
				2				8
5	2		4		1			3
					4			
3	4			5	7	1		
				9		3	2	
		9					5	
4		5	7	1			6	
6						4		

Difficult

						9	5	7
9		2						
	7							
8	9				3	6		
		5			7	3	1	
			5	6	8	4	9	
5					1	7		
		3					8	4
6	8				5	1		

					7			3
1		6			8	5		4
4			1				8	2
6	1							
						2		
				9				
			9					
3	9		2	6		8	1	7
5	2	7	8				3	6

			9	2	8			
					6			
		9	1			3	4	
	1				3	4	8	
		8				5		
		7						9
3				4				
			2	7		1		
7	8	1			5			4

		9		7				4
			1	6	9	2	3	
1								
				8	2		4	3
	9	2	3					
			7			8		5
3	6						5	
	2						8	
9				5				1

	5			7	9			
							6	9
3			2					
		6		1			5	8
						3	9	6
	3	5			2			
4	7				5			
				2	6	9	4	1
1		9	3					5

	8	7	6					3
	2						1	
				7	2	4		
		8		4		6		
	4			2				
7	3		9		1			
		2	4	1	6	9		
5							7	
8		4	7		3	1		

	6		2					
5	9					7		
	1		9				3	
1				3	5		2	
2						6		4
9			8	6				
	7						5	
		8			4		6	
					9	2		

1	2					7	3	
		8			1		4	5
3								2
	3	2					9	6
			9					
7	9			6	2	1	5	3
			7			3		1
4								
5			2	9		8	7	

Difficult

				9			6	3
			7	3				
		5	1		2	8		4
		7	6					
		9				7	1	
					1			
	7					5		
	4	3	2	8	5			
6							4	8

1	9	7	4	6		3		
2				7	3		8	
8	3			9		7	6	1
4	6		8			2		
			6			4	7	
							5	
3			2					9
6				3			1	
				4				

	2	9		5	6			
	4							
5							9	6
		7			8			1
3				7			5	9
	5	8	6		3	2	7	
9	7			6				
				1	4		6	
2			3					

		3			7			
	5					2		
	7					3		
9	6		3					
		4		2				
		1	6	4	5	7		
					6			4
	3	2	4			6	1	
		5	1					

Difficult

				6	3	9	4	
		6					3	
9				7			6	5
					6	2	9	
1		3	5	8				
6								
7		8	1	4	9			
		5			8	1		

	8	7						4
5								3
				1	9			
	6	1						
	4	3		5				9
	7	5	9				2	
							8	
		6				9		
			5	3	4	7		

Difficult

9		4		5		1		
	6	3	7	9			2	8
	2			3				
6		2					9	
7	3						1	2
					5			
	1							
	9	8	2					
				4	9	2		7

		4		1			8	5
3	7	8						
	5				7	9		
			1			4		
4		5	7		9	3	6	8
2	4			7		6		
			3		4	2		1
1	3	6		9				

7		6			4			
	5				3	4	2	1
4				2			6	9
9			7		5	8		
2			8	9				
	1	8	2	4	6			3
3		7						
			3			5	4	

		3						
			9	6	2	3	4	
	4			1	3	6		
				5	6			
				2		8		9
	2			8		4	1	
	1							8
		9			7			5
3						1	7	

		8			4			
3			7	6		2		
				5		1		
			6					4
			8	9	3			
		3		7	1		2	
5	3						1	9
9	4	6	1		7			
						7		

1			2					
6							7	
	7	9			4	8		
	4							
9			3				1	8
2					7			
		3	4		6	9	5	
8	1		9	2		7	4	
					5			3

Difficult

	9	6			4			
		7	8		6			
		3					2	6
			9	4		5		7
						3		
		8	3			2	4	
3		2	4					1
9				7			5	
	8							2

	5	4			2			
		2					3	9
3	1							4
		5				4		
		1	2	7			8	6
6		3					9	5
	8						1	7
				8	7	6		
			9	1				

3						5	4	9
				7		1		3
		3			2			
				9	7		6	
1	8	6			4		7	
					8		3	5
4					3	7		
5		7		6		4		

				5	1	4		
5	1	9						
6		7			3	8		
	8	3	7					6
2		8	6	7		9	1	
	4				8	5		3
		5	2			6		

8			1		1			9
	1		2	4	6			
	3			9				
7		6						
		8				9		4
1						2	7	
			5	3		8		
9				6		4		
4	7	3						1

2		6		9				4
					5	7	6	
5								3
6	4							
		1		3			9	8
	9	2	1					
				8			7	2
			9			4	5	6
9	6				4			

Challenging

	2			8				3
	4			2	9			6
		1			6			
1			5	4	2		9	
2								8
	3	9	1					2
			9					
7				1	4	6	2	
				3		7		9

7			1				9	
			5	4	7	2		1
					6	7		4
		3	8	6				
9								8
	4						5	
4		2	7	3		1	6	5
1		6	2	5				3
	8		6					

Challenging

	8		5	2				9
5	6				3		8	
4		9	8	1			2	3
	1							2
2			9					7
3		5				8	6	4
	5							
			4	6				
					1	9		

9				5		7	8	
2	6	5	4	7		9		3
		4	9					2
	1	2	5	3		8		
3		8					6	
					6			9
						2		
8		9		2	1			6
		3				1		

4	6			1				
			8				2	
		2						
7		3	1				4	
		1				6	9	
				4		2		7
	5	6						
	2				3			6
9	7							8

			7		9			5
		8		1			6	2
2							9	1
6				7	5			
				6		1		4
		3	8	4		6	5	
						9		
	3	2	1		6	4		
		7		8	2		1	

3	1		9				7	
			6	3				
		7	8	5			3	
	9							
				8				3
		6		9		1	8	4
9	5	1		6	2			
							2	9
	6							5

	8	5	7				2	
1	9					8		
4		3		9	8	5		
2	3			5		4	8	
			3	7			6	
5			8		4	7		
					1			
		8	6	4				
		4						

	1		9	3			6	
5	3		2			1		7
8					7			
					5	8		9
	4		6					
7				5	2	6		
9					1			
	5						3	

		5					8	
		4			5			
2		3		6				
1	9			5	8			
		8	6				7	
			4	1	9	2		
			5	8	6	7		2
		7				3	6	1

Challenging

	5				2	3		
						5	4	
4			1					
				9		6		
	1			8		7	3	
5	9				7	1	2	
			8					
9			3	7	5			
		8					6	5

		6						7
		3			6			
4	5				3			6
8				3	1		9	
		1	2		9			
9	3	2	7		5			
					2	9	3	
	4			6	7			1
1								

	7		2				3	5
			4		5			
					7		9	6
			3					
5	3	9		8	2	4	1	
9	5	7		4		1		
2				6	1	7		
		8				5		

			6		9			
	8	9					3	
	7	4	1			6		8
8	6		4					5
	4	7	5	2		1		
1				7	6		2	4
				6				7
		5	7					
				5	8			

	7							5
2						4		
9	8		5	4		2	7	3
5			7				6	
		9	4		2	3		7
			1					
		3						
			8					4
4	2	7	9			1	5	8

9	4	5		6	3			
				4			6	
			2			4		
	5	9			6			
			9	5	1			8
7			4					
	6						7	3
4						2	8	
1			3	9				

Challenging

	1					8	3	
		9	1				2	6
					4			7
		5	6	2				
	2							
	4			8	5	6	7	
1			7		3		6	4
5	6							
7		2	9			5		

	2	4	9					
	7			1	5	2		
3	1		7					9
7				4		3		
				7				8
	4	3		2			6	
				3	6	1	5	
2		8		5				
5	3				4			

			5	7	3			9
					6			
					4	6		
				1		2	4	
2		4	8		5			
6			7				8	1
7						9	3	4
1	3	6				5	2	7
			5				6	

2	3	8						4
1			4				9	
	9							
3	1	4	6	5				
			2	7				
					3			
								2
		7		4		5		8
9			5				6	3

5								
	7							
4			7	3	5		1	
		3		1				2
	6		3		2	4		
7					9	3	4	8
9			5		3	2		6
	2	8			4		5	1

		4	3	8	6		7	
5	6							
							1	2
7		3				2		
	1		4	3				
6		9			8			3
	9	2			1			
8	5	1					6	
			9			1		

		1	3	4				
							1	5
			2	9	1			
		2	9	6		1	8	
3		4	5		8			
					3	4	5	7
		3						
			7		6			
9							7	6

			5			6		
2	3		7	8			4	9
				1				
		4		5	2	7	3	
	1	6	9	4		8		5
			3					
	8							1
7						5	9	
			6				7	

5	1		2				3	6
			9					8
8		9		1			4	
2	5						9	
	4					3		
		1	7	6				2
	6	3			4			9
				9	7			
		5	6	2				

			2		9	4	3	1
8	1			6				
9	2		5	4		8		
	6		9		2		4	
			4	1		5		
			1					8
2					7			
	5			2		9	7	

	4	5	6					
	8		7	2	4		9	
					8			1
			2		9		7	3
4	5			1		9		
		3					1	2
1		6			2		3	

						5	8	1
				1			9	
			2					
3	5							7
6		8	1	7	3			4
1			8	9		6	2	
	7		3		6			
5		1			4			
	6							5

					6			
	1	5				6	2	9
	9	4	5	2		7		
				4	9			
3							7	1
1	4						9	2
							8	4
	5		2					
	7				4	9		

				9				
6	5	3						
								3
	3		1	8		6	7	
1					5	3		4
7				3	9	1	2	5
5	8	1	7		3			6
	4		9	1		7	5	
		2						

	8		7	5			1	6
	2						4	
					6	3		2
9			3					5
6	3	2						
	1			6				
								9
	5	3		2				
1					3	8		

		8		7	5			
3						8	4	9
9				4			6	
2	5							
		6	7					
				6				
				9	1			7
	1	3		5	8	2	9	4
6	8			2		3		

Challenging

9	6	3					4	
5	4	7						
							7	5
1			7		9			
				1				
3	2		8				9	
	9	2		8		3	6	
	5		6					
	3	6	1		7		5	4

			5		3	6		
			8	6		7		
		8		7	4			
	8			4	9		3	
4					8		2	6
		5	2					8
5			1		2	3		7
		4						
			4		7			9

	6		3	2			7	
4	7						3	2
			9			1	4	6
2	4		8					
		8				2		1
1					2			
		2	4	7	6	8		
6	8	9					5	4
				8				

			8	2	4	1	6	
4	1	7	3	9		5		2
6	2							3
		5	2				1	
	4					7	5	
	6			1	5			
	5				2	6		
1								
				3				8

Challenging

1			3					7
4	2	8						
3								
5			6				8	
	8	4	5	3	7			6
				4		5		
			4	8	2		6	
		5					7	
6	1	2		9			3	

F	7	B		E		A		1			6				D
	9	1	A	F		0		8	5	D	7	E	4		C
0	5		6	9	C				B		E	A		3	
	C		E		2		B			A		7	8	6	0
E	0	5				2	F		7				1	C	
	4		8		D	C			E			5	9	3	
	2	9				1		D				A	0	4	
D	6	7		A		9	8					B		F	
9	B		D		1	3	0	C	8			F	5	A	
8	F	4	5	6	9	E	A	7	D			C	B		
6	A				7	4	5	B	F	E		1	2	D	9
7			1	D	B	F	C		A			0	4		E
5		F	9	C		6	1	2	4	0	D		7	E	
A			7		F		D	E	6	5	8	0		2	
		0		5	E	7		F	6	3	C			1	4
C	E	6	4	0				A	1	7	B	5	D	9	F

C	4	A		5					3	8	D	0			
8	D	B				2			A			1			7
6	2		5	C	D			7	1	E	B		A	3	4
3	0		F	6		A		4	5	2	9		B		8
	3			0	B	6			E	1				7	
7					4	3	9	D			F	E	5	0	6
4	A	F	6		1			C	0			3	9	D	
B	5	E	0		8		7		2	6	A	C			
		6	3	1	7	C		2	9	5	E		4		
E	B		7		0	4	6				1		9	D	C
			B	2				3		0	6	8		A	5
	F		2		5		A	B	C	4	7		1		3
5	6	1		7					4	9		3	0		
	4	8	F	3			5	1	B	D	2	7		6	
			B		A	1			6	C	0	5		2	
		0	D	E	6	B								1	

0			6			C				8	5	2			B
					F	9	B				5	A	6		
	8	2		1		7		6			3	C	9	D	E
D	A	7		5	6				2			3		8	4
8		4			B				E	6		C			5
			7	F				D		2		8	3	4	1
F	D	B	1		3	8	2				7	E			
6	9		5	E	1	A	0			3	8			B	
		1	8		0						4	6	B		
C			D	2		4		7		1	0	E		F	9
		A			C	1	3	F		5	9		8		7
B	7	5	9			E	6	2	8	C	A	4	0		
E	5									0			4	3	
1	B		0		4	3		8		6				5	
	4	8	A	0	D		F		3	B	7			C	2
7	6	3		C		B			1	4			D		A

F	8	6	4		A		3	C			1	9	0	5	
A	5			0						2			7		
			2			9		A					1		
3	9		1	B			C	0	7	E	8	F		A	4
				E		A	8					C			0
	F	0	8	3	7		B	2	5			E			
	3	9			1	F	D	A	C	0	4		2		
	C				8	2		1		B					
	B		D	A	9	E	1			8					
	6	F	A	2		B			4				E	8	
8	7	4	3	F	6			B		9	E				C
1	0	E			8		4	3	2	A				7	9
	1				F			4	E	B			D		
B			F	1		3	0	6				A		4	E
	4		0	5	C		6			3		7		9	
	A		9		B					C			8	6	F

				E	3									1	2
4		1	E	F	5						8	0	3		A
3	0	2	6	4	C	D				5			8	F	
	7	5								0		9		C	
B	A	F						C	6			2		5	D
				D	9		5	3	0	2					
			7						1	4			B		8
C	D		5	6			8	7	F			3	9		
		E	A	5		C	6	9		F	3			B	1
0				7				8	B			5		6	4
5	B		F	8			A		2				7		9
D	3	4	8		B		0				A	C			
	5		2		1	7						B	4	E	6
9	4							6						8	3
E			1	2			3	4				F		9	
6					4	8	E	B		3					5

		5	0	E		F	A	4	7	2			D	B	8
9	7		2	0				6			D		F		C
D				7			A	5			6				
			B	9	5	D			F			2		1	A
5	2		8					C				9			
				3		B						C		D	
				4	2	6			0						
4	0	9	A	8	C	E	5			B					7
		B	1					7	E	6		5			2
	5	4		E	3	1									
6			9							F	A		4	C	
8				2	A					3	5				F
		8	D		0	1	C	5	9	7	B	E	2	A	3
A								E	6	C	4	0			5
					2		8	F	3	0			C	9	
0					F	6		8	D	A					1

B				3									5	4	
							A	6	E	D	5	1	F	7	0
	4	7	C						B		9			6	E
	0						2	A			4	D	B		
2	B	1	E	0					4						
	9	A		5	D		4			3	C		8		
D				E		9			F	0			4		2
	F	4	3	1					8	2	A			5	
E			4	C	5	6						F		1	
						F			1			C	0	2	6
C	7						B						D		
8				A				0	5		6				
			D											0	5
F	8	2		9	C		6		0		D	E		3	B
	6			8	B	A			3		2		C		7
A							7	5	9	4	1		6	8	

198

		C	E	0	3	1			B		A				
		D					C	4		1	8	7	2		E
	F		B				E	9					D		
8		A			4	9	2	0	3			B			
	4				0					D			8		
7			6	5	F	8				9	2	1			
		F	8	A											
9										A					
			F		C		3		A						
		4		1				D		7	E	0	B	A	F
A	0				B	5	4	1	6	C	F	E	9	7	
5	D	E			7				9	4		6			3
6	1					A	F	5	8			D		9	
		B	D	E	5	C	0	2	7		4			3	1
E	8	3		7	9	D				F	1	4	5	C	
			2		1	B				3		F		0	

The Big Book of Su Doku

199

	0	A					4	3		F					
6	9	4	2	C		F			D	5					
							3		1	8		0			
		3	8			5	0	6	C			B		2	A
2		9	A		C			B		3				D	7
			B		E				4				5		
4							D						6		
		8					B								
1		2	E	D	F	3		9		7	A	0		8	
	A	6	3	E			2				1				C
D	B	C		A	0	7		E				5		1	
0							8					9	A	E	6
				3		1	F		B	0		C	E	7	8
3				0	2			7	E				F		
	8				7			4		D	9	2	1	6	B
C	7	B	D		9					2			3	A	

			A		B	5	D		1	E	4			C	
	B		6		9		F		0	5		1			
5									3		B		6	F	A
			4	A		3									
			7	D			C							B	
		8		5	4		7	6		C			3		2
		1	F	8	0	9			2					4	
	0	6								8	9		C	D	
			D					B						A	
		5				E		9					7		
1	8				D	7					0		5	6	9
6	9	0	2	4	1	C		A				F	E	3	8
C		2	B				8	3	F	9	5	A	4		
4			8		3				D				1	E	
	D			9	A			1		7	8	C	2		
					C		E			A					

SOLUTIONS

1

4	2	3	1
1	3	2	4
3	1	4	2
2	4	1	3

2

2	1	3	4
4	3	1	2
1	4	2	3
3	2	4	1

3

3	2	4	1
4	1	3	2
2	3	1	4
1	4	2	3

4

2	3	1	4
4	1	3	2
3	4	2	1
1	2	4	3

5

4	1	3	2
3	2	4	1
2	3	1	4
1	4	2	3

6

1	4	3	2
2	3	4	1
3	2	1	4
4	1	2	3

7

3	1	4	2
2	4	3	1
4	2	1	3
1	3	2	4

8

2	1	4	3
3	4	1	2
1	2	3	4
4	3	2	1

9

1	4	3	2
3	2	1	4
2	3	4	1
4	1	2	3

10

1	4	3	2
3	2	4	1
2	3	1	4
4	1	2	3

11

2	5	4	3	1	6
1	6	3	2	4	5
5	1	2	6	3	4
4	3	6	1	5	2
6	4	1	5	2	3
3	2	5	4	6	1

12

6	2	1	3	5	4
5	4	3	1	2	6
4	1	5	6	3	2
2	3	6	5	4	1
3	6	2	4	1	5
1	5	4	2	6	3

13

2	4	6	3	1	5
3	1	5	6	4	2
4	5	1	2	3	6
6	3	2	4	5	1
5	2	4	1	6	3
1	6	3	5	2	4

14

6	5	1	3	2	4
4	2	3	1	5	6
1	3	5	4	6	2
2	4	6	5	1	3
3	1	2	6	4	5
5	6	4	2	3	1

15

6	1	5	2	3	4
4	3	2	6	1	5
2	4	3	5	6	1
5	6	1	3	4	2
1	2	6	4	5	3
3	5	4	1	2	6

16

6	4	5	2	1	3
3	1	2	6	4	5
5	6	3	4	2	1
1	2	4	3	5	6
4	5	6	1	3	2
2	3	1	5	6	4

17

1	6	2	5	3	4
5	3	4	6	2	1
3	5	6	4	1	2
2	4	1	3	5	6
6	2	3	1	4	5
4	1	5	2	6	3

18

2	4	3	5	1	6
6	5	1	3	4	2
3	6	4	2	5	1
1	2	5	6	3	4
4	3	6	1	2	5
5	1	2	4	6	3

19

3	4	6	1	5	2
5	2	1	4	6	3
6	1	2	3	4	5
4	5	3	6	2	1
1	6	5	2	3	4
2	3	4	5	1	6

20

2	6	1	3	5	4
4	3	5	1	6	2
5	1	4	2	3	6
6	2	3	4	1	5
1	5	2	6	4	3
3	4	6	5	2	1

21

4	8	6	9	2	3	7	5	1
1	2	5	6	8	7	9	3	4
9	3	7	5	4	1	8	6	2
7	1	4	3	6	8	2	9	5
3	5	2	4	7	9	1	8	6
6	9	8	1	5	2	4	7	3
5	4	1	7	9	6	3	2	8
8	6	9	2	3	4	5	1	7
2	7	3	8	1	5	6	4	9

22

7	3	9	4	6	2	8	1	5
6	8	1	7	5	9	3	4	2
5	4	2	3	8	1	9	6	7
3	1	5	2	9	7	4	8	6
9	6	7	8	1	4	5	2	3
8	2	4	5	3	6	1	7	9
2	7	3	1	4	5	6	9	8
1	9	8	6	7	3	2	5	4
4	5	6	9	2	8	7	3	1

23

5	1	6	2	4	7	9	3	8
9	8	4	6	5	3	1	7	2
2	7	3	9	8	1	6	4	5
1	5	7	4	6	8	3	2	9
6	3	2	5	7	9	8	1	4
8	4	9	1	3	2	5	6	7
7	2	5	3	9	6	4	8	1
4	6	8	7	1	5	2	9	3
3	9	1	8	2	4	7	5	6

24

3	7	1	9	4	6	8	2	5
8	6	4	2	7	5	9	1	3
2	9	5	1	3	8	6	7	4
4	3	9	6	2	7	5	8	1
5	2	8	4	1	9	3	6	7
6	1	7	8	5	3	2	4	9
1	4	3	5	6	2	7	9	8
9	5	6	7	8	4	1	3	2
7	8	2	3	9	1	4	5	6

25

6	3	5	9	4	2	8	7	1
4	7	2	5	1	8	3	9	6
1	8	9	6	7	3	5	4	2
8	6	7	3	9	1	2	5	4
2	1	3	4	8	5	7	6	9
9	5	4	2	6	7	1	3	8
5	4	8	1	3	9	6	2	7
3	9	1	7	2	6	4	8	5
7	2	6	8	5	4	9	1	3

26

8	6	9	2	7	3	1	5	4
7	4	1	8	9	5	6	2	3
3	5	2	1	6	4	8	9	7
5	8	6	4	1	7	9	3	2
2	1	3	5	8	9	7	4	6
4	9	7	3	2	6	5	1	8
9	2	8	7	4	1	3	6	5
6	3	4	9	5	8	2	7	1
1	7	5	6	3	2	4	8	9

27

3	7	9	2	1	5	4	8	6
6	1	8	4	7	3	9	2	5
5	4	2	9	8	6	1	7	3
9	6	1	3	5	7	8	4	2
4	8	5	6	9	2	7	3	1
2	3	7	1	4	8	5	6	9
8	5	3	7	2	1	6	9	4
7	9	6	5	3	4	2	1	8
1	2	4	8	6	9	3	5	7

28

3	1	6	2	8	9	5	4	7
7	5	2	3	4	1	9	8	6
4	8	9	5	7	6	1	2	3
6	9	7	4	2	8	3	1	5
1	2	4	6	5	3	8	7	9
8	3	5	9	1	7	4	6	2
9	7	3	1	6	4	2	5	8
5	6	1	8	9	2	7	3	4
2	4	8	7	3	5	6	9	1

29

5	1	7	9	6	8	3	4	2
9	4	2	7	5	3	6	1	8
6	3	8	2	1	4	5	7	9
7	6	3	4	8	9	2	5	1
4	8	5	3	2	1	9	6	7
2	9	1	5	7	6	4	8	3
1	2	4	6	3	7	8	9	5
8	5	9	1	4	2	7	3	6
3	7	6	8	9	5	1	2	4

30

5	1	6	4	2	9	3	7	8
4	3	9	7	8	5	6	2	1
7	8	2	3	6	1	5	4	9
1	5	4	6	3	7	9	8	2
8	9	7	2	5	4	1	3	6
2	6	3	1	9	8	7	5	4
3	7	1	8	4	6	2	9	5
6	4	5	9	7	2	8	1	3
9	2	8	5	1	3	4	6	7

31

6	3	9	4	8	2	5	7	1
1	8	7	5	3	9	6	2	4
5	4	2	6	7	1	3	8	9
2	5	1	3	4	6	8	9	7
3	9	8	1	2	7	4	5	6
4	7	6	8	9	5	2	1	3
7	1	3	2	6	8	9	4	5
8	6	5	9	1	4	7	3	2
9	2	4	7	5	3	1	6	8

32

5	9	8	6	3	1	7	2	4
1	3	2	5	4	7	9	8	6
6	7	4	8	2	9	3	1	5
3	6	1	2	7	8	4	5	9
4	8	7	1	9	5	6	3	2
2	5	9	3	6	4	1	7	8
8	1	6	4	5	3	2	9	7
7	4	3	9	8	2	5	6	1
9	2	5	7	1	6	8	4	3

33

8	2	5	7	4	6	1	3	9
4	6	7	1	9	3	5	2	8
3	1	9	2	8	5	7	4	6
5	4	2	6	7	1	9	8	3
9	7	8	3	2	4	6	1	5
1	3	6	8	5	9	2	7	4
7	9	4	5	1	8	3	6	2
2	8	3	9	6	7	4	5	1
6	5	1	4	3	2	8	9	7

34

9	4	8	5	6	3	7	2	1
6	5	2	1	9	7	3	8	4
3	1	7	4	8	2	9	6	5
2	8	5	7	4	1	6	3	9
4	6	1	3	2	9	8	5	7
7	3	9	6	5	8	1	4	2
5	7	4	9	3	6	2	1	8
8	9	3	2	1	4	5	7	6
1	2	6	8	7	5	4	9	3

The Big Book of Su Doku

35

8	4	1	7	9	6	5	3	2
5	7	3	2	1	4	8	6	9
2	6	9	8	5	3	4	7	1
7	2	6	4	8	5	1	9	3
9	1	8	3	6	2	7	4	5
4	3	5	1	7	9	6	2	8
3	5	7	6	2	1	9	8	4
1	8	2	9	4	7	3	5	6
6	9	4	5	3	8	2	1	7

36

1	4	7	8	2	5	9	3	6
9	6	8	7	3	1	5	4	2
5	2	3	9	6	4	7	8	1
3	9	5	6	4	7	1	2	8
6	8	4	1	9	2	3	5	7
7	1	2	5	8	3	6	9	4
8	3	9	2	7	6	4	1	5
2	7	1	4	5	9	8	6	3
4	5	6	3	1	8	2	7	9

2	7	8	6	3	4	5	9	1
3	9	4	2	5	1	8	7	6
5	6	1	8	7	9	4	3	2
6	8	5	4	1	3	7	2	9
9	3	7	5	6	2	1	4	8
1	4	2	9	8	7	6	5	3
4	5	3	1	2	8	9	6	7
8	2	6	7	9	5	3	1	4
7	1	9	3	4	6	2	8	5

1	3	5	4	7	6	2	9	8
7	9	2	3	5	8	6	4	1
4	8	6	1	9	2	3	5	7
2	4	9	8	3	7	5	1	6
5	6	7	9	4	1	8	2	3
3	1	8	2	6	5	4	7	9
6	5	4	7	1	3	9	8	2
9	2	1	6	8	4	7	3	5
8	7	3	5	2	9	1	6	4

39

2	4	8	6	7	5	1	3	9
7	5	1	9	3	4	6	2	8
6	9	3	2	1	8	4	7	5
9	2	6	4	8	3	5	1	7
1	8	4	7	5	2	9	6	3
5	3	7	1	6	9	8	4	2
4	7	5	3	9	6	2	8	1
8	1	2	5	4	7	3	9	6
3	6	9	8	2	1	7	5	4

40

8	6	4	2	3	9	5	7	1
5	9	7	8	1	6	3	4	2
1	3	2	7	4	5	6	8	9
7	4	6	5	2	1	9	3	8
3	8	5	6	9	7	1	2	4
9	2	1	3	8	4	7	6	5
2	7	3	9	5	8	4	1	6
6	1	9	4	7	2	8	5	3
4	5	8	1	6	3	2	9	7

41

3	6	1	4	2	5	8	9	7
7	2	8	9	6	1	4	3	5
9	5	4	7	3	8	2	6	1
4	8	6	2	5	7	3	1	9
2	1	9	6	4	3	5	7	8
5	7	3	8	1	9	6	2	4
8	3	2	1	7	4	9	5	6
1	4	5	3	9	6	7	8	2
6	9	7	5	8	2	1	4	3

42

7	8	6	5	1	3	4	2	9
5	3	2	4	9	8	6	1	7
4	1	9	7	6	2	8	5	3
9	5	4	2	7	1	3	6	8
6	2	3	8	5	4	7	9	1
1	7	8	9	3	6	5	4	2
3	9	1	6	8	5	2	7	4
2	6	7	3	4	9	1	8	5
8	4	5	1	2	7	9	3	6

The Big Book of Su Doku

43

5	2	1	8	3	7	6	9	4
3	4	7	1	9	6	5	2	8
9	8	6	2	4	5	7	3	1
4	5	3	6	8	9	2	1	7
6	7	8	5	2	1	3	4	9
2	1	9	4	7	3	8	6	5
8	3	4	7	1	2	9	5	6
7	9	5	3	6	4	1	8	2
1	6	2	9	5	8	4	7	3

44

3	1	8	6	7	9	2	4	5
7	6	5	2	3	4	9	8	1
4	2	9	1	5	8	7	3	6
2	7	6	8	1	5	4	9	3
8	4	1	3	9	6	5	7	2
9	5	3	4	2	7	1	6	8
5	8	4	7	6	2	3	1	9
1	9	7	5	8	3	6	2	4
6	3	2	9	4	1	8	5	7

45

9	2	7	6	1	5	8	3	4
3	6	5	9	4	8	1	2	7
8	4	1	7	3	2	9	5	6
7	8	9	2	5	6	3	4	1
2	1	4	8	7	3	5	6	9
5	3	6	1	9	4	2	7	8
1	7	3	5	6	9	4	8	2
4	9	8	3	2	7	6	1	5
6	5	2	4	8	1	7	9	3

46

9	7	2	1	6	3	5	8	4
1	3	6	5	8	4	2	7	9
4	5	8	7	2	9	1	6	3
7	2	4	3	9	1	8	5	6
3	6	5	8	4	7	9	1	2
8	1	9	6	5	2	3	4	7
2	4	7	9	1	5	6	3	8
5	8	3	2	7	6	4	9	1
6	9	1	4	3	8	7	2	5

47

2	5	6	4	1	9	3	8	7
3	7	4	8	2	5	6	9	1
8	9	1	7	6	3	5	2	4
5	1	3	2	9	8	7	4	6
6	2	9	3	7	4	1	5	8
4	8	7	1	5	6	9	3	2
9	6	8	5	4	7	2	1	3
7	4	2	9	3	1	8	6	5
1	3	5	6	8	2	4	7	9

48

9	4	3	7	5	6	2	8	1
2	8	6	1	9	4	5	7	3
7	1	5	2	3	8	4	9	6
6	3	2	8	1	7	9	4	5
8	9	4	5	6	3	1	2	7
1	5	7	4	2	9	6	3	8
5	7	8	9	4	1	3	6	2
4	6	1	3	8	2	7	5	9
3	2	9	6	7	5	8	1	4

8	3	6	2	5	7	1	4	9
9	7	5	4	3	1	8	2	6
4	2	1	6	9	8	3	5	7
2	1	4	7	8	6	9	3	5
5	6	3	1	4	9	7	8	2
7	8	9	5	2	3	6	1	4
6	4	7	3	1	5	2	9	8
3	5	8	9	6	2	4	7	1
1	9	2	8	7	4	5	6	3

8	5	7	2	6	3	4	9	1
1	6	2	7	9	4	8	3	5
3	4	9	1	5	8	2	6	7
9	3	6	5	8	7	1	4	2
7	2	5	4	1	6	9	8	3
4	8	1	9	3	2	5	7	6
2	9	8	3	7	5	6	1	4
6	7	4	8	2	1	3	5	9
5	1	3	6	4	9	7	2	8

51

5	7	3	1	4	8	9	6	2
8	1	9	6	2	3	5	4	7
4	2	6	5	9	7	8	1	3
3	5	7	9	6	4	2	8	1
9	8	2	3	7	1	6	5	4
6	4	1	8	5	2	3	7	9
2	6	5	7	1	9	4	3	8
1	3	4	2	8	6	7	9	5
7	9	8	4	3	5	1	2	6

52

9	5	1	6	3	7	8	4	2
8	6	7	9	2	4	3	1	5
2	4	3	1	5	8	7	6	9
1	9	4	8	6	3	2	5	7
3	2	6	5	7	1	9	8	4
5	7	8	4	9	2	6	3	1
4	1	9	7	8	6	5	2	3
7	8	2	3	4	5	1	9	6
6	3	5	2	1	9	4	7	8

2	9	6	7	8	3	1	5	4
3	5	4	2	1	9	8	7	6
7	1	8	4	5	6	2	3	9
1	6	3	9	7	5	4	8	2
9	2	7	8	3	4	5	6	1
8	4	5	6	2	1	3	9	7
5	3	2	1	9	7	6	4	8
4	8	9	3	6	2	7	1	5
6	7	1	5	4	8	9	2	3

5	4	8	9	6	2	3	1	7
3	2	7	1	8	4	9	6	5
1	6	9	5	3	7	2	4	8
9	5	4	6	7	3	8	2	1
6	7	2	8	1	9	5	3	4
8	1	3	2	4	5	7	9	6
7	8	1	3	2	6	4	5	9
2	9	6	4	5	8	1	7	3
4	3	5	7	9	1	6	8	2

55

7	8	4	2	9	5	1	6	3
1	5	6	4	3	8	2	9	7
9	3	2	7	6	1	5	4	8
3	7	8	6	1	9	4	2	5
2	6	9	5	4	7	8	3	1
4	1	5	8	2	3	6	7	9
5	4	1	3	7	6	9	8	2
8	2	3	9	5	4	7	1	6
6	9	7	1	8	2	3	5	4

56

3	8	7	2	1	4	5	6	9
6	4	2	5	9	3	7	1	8
5	1	9	7	6	8	4	2	3
4	9	1	8	3	7	6	5	2
8	3	5	6	4	2	9	7	1
2	7	6	1	5	9	3	8	4
9	6	8	4	7	1	2	3	5
1	5	4	3	2	6	8	9	7
7	2	3	9	8	5	1	4	6

9	1	2	4	8	3	5	6	7
6	5	4	7	9	2	3	1	8
7	8	3	6	1	5	9	2	4
3	6	1	9	4	8	2	7	5
4	9	7	5	2	1	6	8	3
8	2	5	3	7	6	1	4	9
5	7	9	2	6	4	8	3	1
2	4	8	1	3	9	7	5	6
1	3	6	8	5	7	4	9	2

4	2	7	5	9	1	8	3	6
5	1	8	6	3	4	9	7	2
6	3	9	7	2	8	1	4	5
3	7	6	9	4	2	5	1	8
8	4	1	3	5	6	2	9	7
2	9	5	1	8	7	3	6	4
9	6	3	8	7	5	4	2	1
7	8	4	2	1	3	6	5	9
1	5	2	4	6	9	7	8	3

59

9	6	2	7	4	3	5	1	8
1	5	7	8	2	9	4	6	3
4	3	8	1	6	5	9	7	2
8	2	5	3	9	6	7	4	1
6	1	4	2	7	8	3	5	9
3	7	9	4	5	1	2	8	6
7	4	6	9	8	2	1	3	5
5	9	1	6	3	4	8	2	7
2	8	3	5	1	7	6	9	4

60

6	2	7	4	5	1	9	3	8
3	4	5	8	2	9	6	7	1
9	1	8	3	7	6	4	5	2
7	6	3	5	8	2	1	9	4
2	8	9	1	4	7	5	6	3
4	5	1	9	6	3	8	2	7
1	9	6	7	3	8	2	4	5
8	3	4	2	9	5	7	1	6
5	7	2	6	1	4	3	8	9

61

6	7	8	5	4	9	1	2	3
1	5	3	7	8	2	6	9	4
4	2	9	3	6	1	5	7	8
2	9	6	1	7	4	8	3	5
7	8	1	2	5	3	4	6	9
5	3	4	6	9	8	7	1	2
9	1	5	4	2	7	3	8	6
8	4	7	9	3	6	2	5	1
3	6	2	8	1	5	9	4	7

62

1	2	5	4	6	9	8	7	3
8	9	3	2	7	1	5	6	4
7	4	6	5	3	8	2	1	9
9	7	8	3	1	6	4	5	2
4	3	1	8	2	5	7	9	6
6	5	2	7	9	4	3	8	1
3	1	7	6	8	2	9	4	5
2	6	4	9	5	7	1	3	8
5	8	9	1	4	3	6	2	7

63

5	6	1	9	7	2	8	4	3
3	4	2	1	5	8	7	9	6
8	7	9	6	3	4	5	2	1
7	1	8	3	4	9	6	5	2
4	2	3	5	6	7	9	1	8
9	5	6	8	2	1	3	7	4
1	8	7	2	9	6	4	3	5
6	9	5	4	1	3	2	8	7
2	3	4	7	8	5	1	6	9

64

8	9	1	5	4	7	2	6	3
3	7	5	8	6	2	1	9	4
4	2	6	1	9	3	7	5	8
1	5	9	7	3	4	8	2	6
7	6	3	2	8	5	4	1	9
2	8	4	9	1	6	3	7	5
9	4	2	6	7	8	5	3	1
6	3	7	4	5	1	9	8	2
5	1	8	3	2	9	6	4	7

6	7	1	3	9	5	2	8	4
2	4	5	6	7	8	1	3	9
9	3	8	4	1	2	7	6	5
7	8	9	1	5	6	3	4	2
3	5	4	9	2	7	6	1	8
1	2	6	8	3	4	9	5	7
5	6	2	7	8	3	4	9	1
8	1	3	2	4	9	5	7	6
4	9	7	5	6	1	8	2	3

5	4	9	3	6	8	1	2	7
2	7	8	1	9	5	3	4	6
1	6	3	4	2	7	5	9	8
3	9	1	2	5	6	7	8	4
4	2	6	8	7	3	9	1	5
8	5	7	9	4	1	2	6	3
7	1	4	6	3	9	8	5	2
6	8	5	7	1	2	4	3	9
9	3	2	5	8	4	6	7	1

67

4	2	3	8	6	7	9	5	1
6	8	1	4	9	5	2	3	7
5	9	7	3	1	2	6	8	4
8	6	2	9	4	3	1	7	5
1	4	9	7	5	6	3	2	8
3	7	5	2	8	1	4	9	6
9	5	8	6	3	4	7	1	2
7	3	6	1	2	8	5	4	9
2	1	4	5	7	9	8	6	3

68

5	2	6	9	7	3	8	4	1
7	8	9	4	6	1	2	3	5
4	3	1	8	2	5	9	6	7
2	7	5	1	8	6	3	9	4
8	9	4	2	3	7	5	1	6
1	6	3	5	9	4	7	8	2
3	4	7	6	5	8	1	2	9
6	5	2	3	1	9	4	7	8
9	1	8	7	4	2	6	5	3

2	8	1	4	3	7	5	6	9
4	3	5	8	6	9	2	7	1
7	9	6	5	2	1	4	3	8
6	2	9	3	7	5	8	1	4
8	5	3	2	1	4	6	9	7
1	4	7	6	9	8	3	2	5
3	7	8	9	4	6	1	5	2
5	1	2	7	8	3	9	4	6
9	6	4	1	5	2	7	8	3

3	9	8	5	4	7	6	2	1
1	2	5	3	6	8	4	7	9
4	6	7	9	1	2	8	5	3
9	7	3	4	2	5	1	8	6
2	5	4	1	8	6	9	3	7
8	1	6	7	9	3	2	4	5
5	4	9	2	7	1	3	6	8
7	8	1	6	3	4	5	9	2
6	3	2	8	5	9	7	1	4

71

8	5	7	1	6	3	2	4	9
3	6	4	9	7	2	1	8	5
1	2	9	5	4	8	3	7	6
4	3	6	2	1	9	8	5	7
7	8	1	4	5	6	9	3	2
2	9	5	8	3	7	4	6	1
6	1	3	7	9	4	5	2	8
5	4	2	6	8	1	7	9	3
9	7	8	3	2	5	6	1	4

72

2	9	8	6	4	7	3	1	5
1	7	5	9	8	3	4	2	6
4	3	6	1	5	2	9	7	8
6	8	7	3	2	5	1	9	4
5	1	2	8	9	4	6	3	7
9	4	3	7	6	1	8	5	2
8	2	4	5	1	9	7	6	3
3	6	9	2	7	8	5	4	1
7	5	1	4	3	6	2	8	9

73

4	8	9	2	1	6	5	7	3
3	6	5	9	7	8	2	4	1
7	1	2	3	5	4	8	6	9
5	3	1	6	8	2	7	9	4
8	9	6	4	3	7	1	2	5
2	7	4	1	9	5	6	3	8
6	2	3	5	4	1	9	8	7
1	4	7	8	6	9	3	5	2
9	5	8	7	2	3	4	1	6

74

8	7	5	4	2	9	1	6	3
4	1	2	6	3	8	7	5	9
3	6	9	7	1	5	8	2	4
9	8	1	2	4	6	5	3	7
5	2	3	9	8	7	6	4	1
6	4	7	3	5	1	9	8	2
2	5	6	1	7	4	3	9	8
7	3	8	5	9	2	4	1	6
1	9	4	8	6	3	2	7	5

The Big Book of Su Doku

75

9	8	3	7	4	6	5	2	1
7	6	5	1	2	9	3	8	4
4	1	2	8	3	5	6	7	9
3	4	8	5	6	2	1	9	7
1	2	9	3	7	4	8	5	6
5	7	6	9	1	8	4	3	2
6	9	4	2	5	3	7	1	8
2	5	7	4	8	1	9	6	3
8	3	1	6	9	7	2	4	5

76

1	4	5	6	9	8	2	3	7
9	7	8	4	2	3	5	1	6
3	2	6	1	7	5	9	8	4
2	6	9	3	4	1	8	7	5
5	1	4	8	6	7	3	2	9
8	3	7	9	5	2	6	4	1
6	5	1	2	8	4	7	9	3
7	8	3	5	1	9	4	6	2
4	9	2	7	3	6	1	5	8

7	2	1	9	8	6	3	5	4
8	9	5	3	1	4	6	2	7
4	6	3	7	5	2	8	9	1
2	8	6	4	9	3	7	1	5
9	1	7	5	2	8	4	6	3
3	5	4	6	7	1	9	8	2
6	4	9	2	3	5	1	7	8
1	3	2	8	6	7	5	4	9
5	7	8	1	4	9	2	3	6

2	9	6	7	8	3	4	1	5
8	1	4	6	9	5	3	7	2
5	3	7	2	1	4	6	8	9
3	5	1	8	6	2	9	4	7
9	6	2	5	4	7	8	3	1
7	4	8	1	3	9	2	5	6
4	7	3	9	5	6	1	2	8
6	8	5	3	2	1	7	9	4
1	2	9	4	7	8	5	6	3

79

2	4	9	5	1	6	8	7	3
1	6	5	8	7	3	4	9	2
7	3	8	2	9	4	5	6	1
8	9	3	6	5	1	7	2	4
5	1	7	4	2	9	3	8	6
4	2	6	7	3	8	1	5	9
9	7	2	1	4	5	6	3	8
6	5	4	3	8	2	9	1	7
3	8	1	9	6	7	2	4	5

80

5	7	1	4	8	6	2	9	3
6	2	4	7	9	3	5	8	1
9	8	3	5	1	2	4	6	7
4	5	9	8	3	7	6	1	2
3	6	7	1	2	5	9	4	8
2	1	8	9	6	4	7	3	5
1	9	6	2	7	8	3	5	4
7	3	5	6	4	1	8	2	9
8	4	2	3	5	9	1	7	6

81

8	2	7	5	1	6	3	9	4
9	1	3	7	2	4	5	8	6
4	5	6	8	9	3	2	7	1
7	3	5	6	4	1	8	2	9
6	8	9	3	5	2	4	1	7
2	4	1	9	7	8	6	5	3
3	7	2	4	8	9	1	6	5
5	6	8	1	3	7	9	4	2
1	9	4	2	6	5	7	3	8

82

1	9	5	4	2	6	7	8	3
3	4	6	8	7	9	1	5	2
2	7	8	5	3	1	9	4	6
8	5	1	7	6	3	2	9	4
7	2	9	1	4	8	3	6	5
4	6	3	2	9	5	8	1	7
6	3	4	9	8	7	5	2	1
9	1	7	6	5	2	4	3	8
5	8	2	3	1	4	6	7	9

83

5	7	8	1	2	4	3	6	9
9	6	1	3	5	8	2	7	4
4	2	3	6	9	7	1	5	8
8	5	6	2	1	9	7	4	3
3	4	7	8	6	5	9	1	2
2	1	9	7	4	3	6	8	5
1	8	5	9	7	2	4	3	6
6	9	4	5	3	1	8	2	7
7	3	2	4	8	6	5	9	1

84

9	6	5	7	8	4	3	2	1
3	2	4	5	1	9	7	8	6
8	7	1	2	3	6	5	4	9
6	5	3	1	4	2	9	7	8
2	8	7	9	6	5	1	3	4
4	1	9	3	7	8	2	6	5
1	3	8	6	5	7	4	9	2
7	9	6	4	2	1	8	5	3
5	4	2	8	9	3	6	1	7

85

7	3	8	9	1	6	4	2	5
9	4	2	3	5	7	1	6	8
1	5	6	2	8	4	3	7	9
8	6	4	5	7	1	9	3	2
5	1	9	4	2	3	6	8	7
2	7	3	6	9	8	5	4	1
4	9	5	8	6	2	7	1	3
6	2	7	1	3	5	8	9	4
3	8	1	7	4	9	2	5	6

86

1	2	5	8	9	7	3	6	4
8	4	6	1	3	2	5	7	9
7	9	3	5	4	6	8	2	1
3	8	1	9	7	5	6	4	2
4	5	7	6	2	8	9	1	3
9	6	2	4	1	3	7	5	8
5	7	4	2	8	9	1	3	6
6	1	9	3	5	4	2	8	7
2	3	8	7	6	1	4	9	5

87

8	1	5	4	2	6	9	3	7
4	2	9	7	5	3	6	1	8
7	6	3	8	1	9	2	4	5
3	4	8	2	9	1	5	7	6
2	7	6	5	8	4	1	9	3
5	9	1	3	6	7	4	8	2
6	8	7	9	4	2	3	5	1
9	5	2	1	3	8	7	6	4
1	3	4	6	7	5	8	2	9

88

2	6	9	7	1	5	3	4	8
7	4	3	9	8	6	1	2	5
1	5	8	3	2	4	7	6	9
4	3	2	6	7	9	8	5	1
6	1	7	8	5	3	4	9	2
8	9	5	1	4	2	6	3	7
3	2	1	4	9	7	5	8	6
9	8	6	5	3	1	2	7	4
5	7	4	2	6	8	9	1	3

89

2	9	6	3	7	8	1	4	5
4	8	3	5	6	1	2	7	9
5	7	1	9	4	2	6	8	3
9	6	8	2	1	3	4	5	7
3	4	7	6	8	5	9	1	2
1	5	2	4	9	7	3	6	8
8	3	5	1	2	4	7	9	6
7	1	9	8	3	6	5	2	4
6	2	4	7	5	9	8	3	1

90

4	5	7	6	3	8	9	1	2
6	9	3	2	1	5	8	7	4
2	8	1	7	4	9	5	6	3
3	4	5	8	2	6	7	9	1
1	7	6	9	5	4	3	2	8
8	2	9	1	7	3	6	4	5
5	1	2	3	9	7	4	8	6
7	3	8	4	6	2	1	5	9
9	6	4	5	8	1	2	3	7

91

5	2	7	6	3	1	8	9	4
9	4	1	7	8	5	2	6	3
6	3	8	9	2	4	1	7	5
7	8	6	3	4	9	5	1	2
3	5	9	2	1	8	6	4	7
4	1	2	5	6	7	9	3	8
2	6	5	4	9	3	7	8	1
1	7	3	8	5	6	4	2	9
8	9	4	1	7	2	3	5	6

92

7	8	1	5	4	9	6	3	2
4	3	9	7	6	2	1	8	5
6	5	2	3	1	8	4	9	7
2	7	5	9	3	6	8	1	4
8	4	3	2	5	1	7	6	9
1	9	6	4	8	7	2	5	3
9	6	4	1	7	3	5	2	8
5	2	8	6	9	4	3	7	1
3	1	7	8	2	5	9	4	6

93

8	2	5	9	6	1	4	3	7
9	3	6	8	7	4	5	2	1
4	7	1	3	2	5	8	6	9
3	6	7	5	4	2	9	1	8
2	4	9	1	3	8	6	7	5
5	1	8	7	9	6	2	4	3
7	8	4	2	1	9	3	5	6
6	9	3	4	5	7	1	8	2
1	5	2	6	8	3	7	9	4

94

4	9	8	1	5	7	6	3	2
3	7	1	2	9	6	5	8	4
6	2	5	3	8	4	7	1	9
8	3	7	9	6	2	1	4	5
9	4	6	8	1	5	2	7	3
5	1	2	4	7	3	8	9	6
7	8	3	5	2	9	4	6	1
2	6	4	7	3	1	9	5	8
1	5	9	6	4	8	3	2	7

95

3	9	5	4	6	7	2	8	1
6	4	8	1	2	9	3	5	7
2	7	1	3	8	5	6	4	9
5	2	7	9	4	1	8	6	3
8	3	4	7	5	6	1	9	2
9	1	6	2	3	8	5	7	4
7	8	9	6	1	2	4	3	5
1	6	3	5	9	4	7	2	8
4	5	2	8	7	3	9	1	6

96

3	2	1	5	4	9	7	6	8
5	7	8	6	3	2	1	9	4
6	9	4	1	8	7	2	3	5
2	1	9	3	6	5	4	8	7
4	8	5	7	9	1	6	2	3
7	6	3	8	2	4	5	1	9
8	5	2	9	7	6	3	4	1
1	3	6	4	5	8	9	7	2
9	4	7	2	1	3	8	5	6

2	7	1	9	4	5	3	8	6
6	5	9	8	3	7	1	2	4
8	4	3	2	1	6	7	9	5
9	3	2	1	5	4	6	7	8
5	1	4	7	6	8	2	3	9
7	6	8	3	9	2	5	4	1
1	9	7	5	8	3	4	6	2
4	2	5	6	7	9	8	1	3
3	8	6	4	2	1	9	5	7

6	4	7	1	5	2	9	8	3
3	8	1	6	9	4	5	7	2
9	2	5	3	8	7	4	1	6
5	3	9	7	6	8	2	4	1
2	6	8	9	4	1	7	3	5
1	7	4	2	3	5	8	6	9
4	1	3	5	7	9	6	2	8
8	9	2	4	1	6	3	5	7
7	5	6	8	2	3	1	9	4

99

5	8	7	3	1	2	4	6	9
6	1	2	8	4	9	5	3	7
9	3	4	5	7	6	8	1	2
4	2	1	7	9	3	6	5	8
8	9	6	1	5	4	2	7	3
3	7	5	2	6	8	9	4	1
7	4	3	9	2	5	1	8	6
1	5	9	6	8	7	3	2	4
2	6	8	4	3	1	7	9	5

100

9	3	5	6	1	7	2	8	4
7	4	6	2	8	5	1	9	3
8	1	2	9	4	3	5	6	7
2	8	4	5	6	9	3	7	1
6	7	9	1	3	2	8	4	5
1	5	3	4	7	8	9	2	6
5	6	7	8	9	1	4	3	2
3	2	8	7	5	4	6	1	9
4	9	1	3	2	6	7	5	8

101

3	5	8	1	9	6	4	7	2
9	7	1	5	2	4	3	8	6
2	6	4	7	3	8	1	5	9
1	8	6	4	7	2	9	3	5
5	4	2	9	6	3	8	1	7
7	9	3	8	5	1	6	2	4
4	1	9	2	8	5	7	6	3
6	2	7	3	1	9	5	4	8
8	3	5	6	4	7	2	9	1

102

5	6	3	7	1	4	2	9	8
2	1	7	9	6	8	4	3	5
4	8	9	3	5	2	7	1	6
7	9	4	1	2	6	5	8	3
8	3	2	5	9	7	1	6	4
1	5	6	8	4	3	9	2	7
3	2	1	4	8	5	6	7	9
9	4	8	6	7	1	3	5	2
6	7	5	2	3	9	8	4	1

103

2	5	8	9	6	1	4	3	7
7	1	3	2	8	4	9	5	6
4	9	6	7	5	3	8	1	2
5	6	2	3	4	9	7	8	1
1	3	9	8	7	2	5	6	4
8	7	4	5	1	6	3	2	9
3	4	7	1	2	5	6	9	8
9	8	1	6	3	7	2	4	5
6	2	5	4	9	8	1	7	3

104

1	6	5	4	9	3	8	2	7
3	7	4	2	1	8	9	6	5
2	8	9	5	6	7	4	1	3
9	5	2	1	8	6	3	7	4
7	3	6	9	2	4	5	8	1
4	1	8	3	7	5	2	9	6
5	2	1	6	3	9	7	4	8
8	9	3	7	4	1	6	5	2
6	4	7	8	5	2	1	3	9

105

8	5	1	6	4	3	9	2	7
7	2	6	9	5	1	8	3	4
3	9	4	7	8	2	5	6	1
2	3	7	5	9	4	6	1	8
4	8	5	3	1	6	7	9	2
6	1	9	2	7	8	3	4	5
9	4	8	1	6	5	2	7	3
5	7	3	4	2	9	1	8	6
1	6	2	8	3	7	4	5	9

106

1	8	6	9	5	4	2	3	7
5	7	3	2	8	1	6	9	4
2	9	4	7	6	3	1	5	8
8	1	7	3	9	5	4	2	6
4	5	9	6	1	2	8	7	3
3	6	2	8	4	7	9	1	5
7	4	1	5	2	8	3	6	9
9	3	8	1	7	6	5	4	2
6	2	5	4	3	9	7	8	1

107

5	4	3	1	8	9	2	7	6
9	2	8	6	5	7	3	4	1
6	1	7	3	2	4	9	5	8
8	6	4	2	9	3	7	1	5
3	7	2	5	1	8	4	6	9
1	5	9	7	4	6	8	3	2
4	9	5	8	7	1	6	2	3
2	8	6	4	3	5	1	9	7
7	3	1	9	6	2	5	8	4

108

1	9	7	5	6	4	3	2	8
6	5	3	2	8	7	1	4	9
4	8	2	9	1	3	5	7	6
2	7	5	8	9	6	4	3	1
9	4	8	1	3	5	2	6	7
3	1	6	7	4	2	9	8	5
8	6	9	4	2	1	7	5	3
7	2	1	3	5	8	6	9	4
5	3	4	6	7	9	8	1	2

8	5	6	1	9	4	7	2	3
4	7	3	2	5	6	1	8	9
2	1	9	3	7	8	5	4	6
7	4	5	9	1	3	8	6	2
1	6	8	7	4	2	9	3	5
3	9	2	6	8	5	4	1	7
5	3	1	4	6	7	2	9	8
9	2	7	8	3	1	6	5	4
6	8	4	5	2	9	3	7	1

1	6	3	8	5	7	9	2	4
7	2	9	6	4	1	5	8	3
4	5	8	2	3	9	1	7	6
9	8	2	7	6	3	4	1	5
5	1	6	4	8	2	7	3	9
3	7	4	1	9	5	8	6	2
6	9	5	3	7	8	2	4	1
2	3	7	9	1	4	6	5	8
8	4	1	5	2	6	3	9	7

111

4	2	9	3	1	8	6	7	5
8	1	7	6	4	5	9	3	2
6	5	3	9	2	7	8	1	4
7	9	4	5	6	1	2	8	3
3	6	5	2	8	9	7	4	1
1	8	2	4	7	3	5	9	6
9	4	8	1	5	6	3	2	7
5	3	1	7	9	2	4	6	8
2	7	6	8	3	4	1	5	9

112

7	8	2	1	3	5	4	6	9
3	9	6	7	2	4	1	5	8
1	5	4	8	9	6	3	2	7
9	3	5	2	1	7	8	4	6
6	4	7	5	8	3	9	1	2
8	2	1	4	6	9	5	7	3
5	6	8	9	7	1	2	3	4
2	1	3	6	4	8	7	9	5
4	7	9	3	5	2	6	8	1

113

2	1	5	9	8	4	7	6	3
6	8	9	2	3	7	5	1	4
7	3	4	5	1	6	2	8	9
8	6	7	3	2	9	1	4	5
5	2	3	4	6	1	8	9	7
4	9	1	8	7	5	6	3	2
1	4	6	7	5	3	9	2	8
3	5	8	6	9	2	4	7	1
9	7	2	1	4	8	3	5	6

114

7	8	1	9	2	4	3	5	6
3	4	5	6	1	7	2	8	9
2	6	9	8	3	5	4	1	7
6	9	8	4	5	3	1	7	2
4	2	3	1	7	6	5	9	8
1	5	7	2	8	9	6	3	4
9	1	2	5	6	8	7	4	3
5	3	4	7	9	2	8	6	1
8	7	6	3	4	1	9	2	5

115

6	4	1	2	8	3	5	7	9
7	2	8	9	5	4	3	1	6
9	3	5	1	7	6	4	8	2
3	8	6	7	2	5	1	9	4
1	5	4	6	3	9	7	2	8
2	9	7	4	1	8	6	3	5
8	6	9	3	4	1	2	5	7
5	1	2	8	6	7	9	4	3
4	7	3	5	9	2	8	6	1

116

5	1	4	2	7	8	6	3	9
3	8	6	9	4	1	2	7	5
7	9	2	5	3	6	4	8	1
2	4	7	6	1	9	3	5	8
9	3	8	7	2	5	1	4	6
1	6	5	3	8	4	7	9	2
6	5	1	4	9	3	8	2	7
8	7	3	1	5	2	9	6	4
4	2	9	8	6	7	5	1	3

117

8	7	6	1	3	5	9	4	2
1	2	4	9	7	6	8	3	5
9	5	3	4	8	2	7	1	6
4	9	5	3	6	1	2	7	8
3	1	2	7	5	8	4	6	9
7	6	8	2	9	4	3	5	1
5	3	1	8	2	7	6	9	4
6	8	9	5	4	3	1	2	7
2	4	7	6	1	9	5	8	3

118

6	5	8	2	9	1	3	7	4
9	3	2	7	5	4	1	8	6
4	1	7	6	3	8	9	5	2
5	4	9	3	1	7	6	2	8
2	7	1	4	8	6	5	3	9
8	6	3	9	2	5	7	4	1
7	9	4	5	6	2	8	1	3
1	2	6	8	7	3	4	9	5
3	8	5	1	4	9	2	6	7

The Big Book of Su Doku

119

4	9	2	1	5	8	3	7	6
8	3	1	2	7	6	5	9	4
6	7	5	4	3	9	8	2	1
7	8	6	3	2	1	9	4	5
2	5	4	9	6	7	1	3	8
3	1	9	5	8	4	7	6	2
9	2	8	7	4	5	6	1	3
5	4	7	6	1	3	2	8	9
1	6	3	8	9	2	4	5	7

120

8	5	3	4	7	1	6	9	2
7	9	2	6	8	5	4	3	1
4	6	1	2	9	3	8	7	5
6	1	8	3	5	7	9	2	4
2	7	9	8	4	6	5	1	3
3	4	5	9	1	2	7	6	8
1	2	4	5	6	9	3	8	7
5	3	6	7	2	8	1	4	9
9	8	7	1	3	4	2	5	6

121

9	1	5	3	7	8	6	2	4
4	8	6	2	5	9	7	1	3
3	7	2	4	6	1	8	9	5
6	4	9	7	8	3	1	5	2
1	5	3	6	2	4	9	7	8
8	2	7	1	9	5	4	3	6
7	3	8	9	4	2	5	6	1
2	9	4	5	1	6	3	8	7
5	6	1	8	3	7	2	4	9

122

4	5	9	6	1	8	7	2	3
3	2	1	4	5	7	6	8	9
6	7	8	9	3	2	1	4	5
9	3	7	8	6	5	2	1	4
2	4	5	7	9	1	3	6	8
8	1	6	2	4	3	5	9	7
5	6	2	3	8	9	4	7	1
7	8	3	1	2	4	9	5	6
1	9	4	5	7	6	8	3	2

The Big Book of Su Doku

123

7	9	6	1	3	4	8	5	2
1	3	2	8	5	9	7	4	6
8	4	5	7	2	6	9	1	3
3	8	1	2	6	7	5	9	4
5	2	4	3	9	1	6	7	8
6	7	9	5	4	8	3	2	1
4	1	3	9	8	5	2	6	7
2	5	7	6	1	3	4	8	9
9	6	8	4	7	2	1	3	5

124

4	6	3	7	1	5	9	8	2
2	7	5	8	9	4	3	1	6
9	1	8	2	6	3	4	5	7
6	5	9	4	7	8	1	2	3
1	2	4	6	3	9	5	7	8
8	3	7	1	5	2	6	4	9
5	4	6	3	8	7	2	9	1
7	9	1	5	2	6	8	3	4
3	8	2	9	4	1	7	6	5

4	6	5	3	2	9	7	8	1
2	9	7	1	6	8	4	5	3
1	3	8	7	4	5	2	9	6
9	7	3	5	1	2	8	6	4
6	4	1	8	3	7	9	2	5
5	8	2	4	9	6	3	1	7
8	1	4	9	5	3	6	7	2
3	2	9	6	7	1	5	4	8
7	5	6	2	8	4	1	3	9

4	8	5	6	1	7	3	9	2
6	9	1	3	5	2	8	4	7
2	7	3	9	4	8	5	6	1
8	6	7	5	3	9	2	1	4
3	2	4	8	7	1	6	5	9
1	5	9	4	2	6	7	8	3
7	1	6	2	9	5	4	3	8
5	4	2	1	8	3	9	7	6
9	3	8	7	6	4	1	2	5

127

1	7	3	9	6	8	2	4	5
9	6	4	3	2	5	7	1	8
5	2	8	4	7	1	6	9	3
2	9	1	8	3	4	5	7	6
3	4	6	2	5	7	1	8	9
8	5	7	1	9	6	3	2	4
7	3	9	6	4	2	8	5	1
4	8	5	7	1	3	9	6	2
6	1	2	5	8	9	4	3	7

128

3	4	8	6	1	2	9	5	7
9	5	2	3	7	8	4	6	1
1	7	6	5	9	4	2	3	8
8	9	1	4	2	3	6	7	5
4	6	5	9	8	7	3	1	2
2	3	7	1	5	6	8	4	9
5	2	4	8	3	1	7	9	6
7	1	3	2	6	9	5	8	4
6	8	9	7	4	5	1	2	3

129

2	5	8	9	4	7	1	6	3
1	7	6	3	2	8	5	9	4
4	3	9	1	5	6	7	8	2
6	1	5	4	8	2	3	7	9
9	4	3	6	7	1	2	5	8
7	8	2	5	3	9	6	4	1
8	6	1	7	9	3	4	2	5
3	9	4	2	6	5	8	1	7
5	2	7	8	1	4	9	3	6

130

4	7	3	9	2	8	6	5	1
1	2	5	4	3	6	8	9	7
8	6	9	1	5	7	3	4	2
2	1	7	5	9	3	4	8	6
9	4	8	6	1	2	5	7	3
5	3	6	7	8	4	2	1	9
3	9	2	8	4	1	7	6	5
6	5	4	2	7	9	1	3	8
7	8	1	3	6	5	9	2	4

131

2	8	9	5	7	3	6	1	4
4	5	7	1	6	9	2	3	8
1	3	6	8	2	4	5	9	7
7	1	5	6	8	2	9	4	3
8	9	2	3	4	5	1	7	6
6	4	3	7	9	1	8	2	5
3	6	8	9	1	7	4	5	2
5	2	1	4	3	6	7	8	9
9	7	4	2	5	8	3	6	1

132

6	5	4	8	7	9	1	3	2
2	1	7	5	3	4	8	6	9
3	9	8	2	6	1	5	7	4
7	4	6	9	1	3	2	5	8
8	2	1	4	5	7	3	9	6
9	3	5	6	8	2	4	1	7
4	7	2	1	9	5	6	8	3
5	8	3	7	2	6	9	4	1
1	6	9	3	4	8	7	2	5

133

1	8	7	6	9	4	2	5	3
4	2	6	5	3	8	7	1	9
9	5	3	1	7	2	4	6	8
2	1	8	3	4	5	6	9	7
6	4	9	8	2	7	5	3	1
7	3	5	9	6	1	8	4	2
3	7	2	4	1	6	9	8	5
5	6	1	2	8	9	3	7	4
8	9	4	7	5	3	1	2	6

134

8	6	3	2	4	7	5	9	1
5	9	2	3	1	8	7	4	6
7	1	4	9	5	6	8	3	2
1	8	6	4	3	5	9	2	7
2	3	5	7	9	1	6	8	4
9	4	7	8	6	2	3	1	5
6	7	9	1	2	3	4	5	8
3	2	8	5	7	4	1	6	9
4	5	1	6	8	9	2	7	3

The Big Book of Su Doku

135

1	2	6	4	5	9	7	3	8
9	7	8	3	2	1	6	4	5
3	4	5	6	7	8	9	1	2
8	3	2	5	1	7	4	9	6
6	5	1	9	3	4	2	8	7
7	9	4	8	6	2	1	5	3
2	8	9	7	4	5	3	6	1
4	6	7	1	8	3	5	2	9
5	1	3	2	9	6	8	7	4

136

7	8	1	5	9	4	2	6	3
2	6	4	7	3	8	1	5	9
3	9	5	1	6	2	8	7	4
8	1	7	6	2	9	4	3	5
4	2	9	8	5	3	7	1	6
5	3	6	4	7	1	9	8	2
9	7	8	3	4	6	5	2	1
1	4	3	2	8	5	6	9	7
6	5	2	9	1	7	3	4	8

137

1	9	7	4	6	8	3	2	5
2	5	6	1	7	3	9	8	4
8	3	4	5	9	2	7	6	1
4	6	1	8	5	7	2	9	3
5	2	3	6	1	9	4	7	8
7	8	9	3	2	4	1	5	6
3	7	5	2	8	1	6	4	9
6	4	2	9	3	5	8	1	7
9	1	8	7	4	6	5	3	2

138

7	2	9	1	5	6	4	8	3
6	4	1	8	3	9	5	2	7
5	8	3	7	4	2	1	9	6
4	9	7	5	2	8	6	3	1
3	6	2	4	7	1	8	5	9
1	5	8	6	9	3	2	7	4
9	7	4	2	6	5	3	1	8
8	3	5	9	1	4	7	6	2
2	1	6	3	8	7	9	4	5

139

2	1	3	8	6	7	9	4	5
8	5	6	9	3	4	2	7	1
4	7	9	5	1	2	3	8	6
9	6	7	3	8	1	4	5	2
5	8	4	7	2	9	1	6	3
3	2	1	6	4	5	7	9	8
1	9	8	2	7	6	5	3	4
7	3	2	4	5	8	6	1	9
6	4	5	1	9	3	8	2	7

140

2	5	1	8	6	3	9	4	7
8	7	6	9	5	4	3	1	2
9	3	4	2	7	1	8	6	5
5	4	7	3	1	6	2	9	8
1	9	3	5	8	2	4	7	6
6	8	2	4	9	7	5	3	1
7	2	8	1	4	9	6	5	3
4	6	5	7	3	8	1	2	9
3	1	9	6	2	5	7	8	4

141

6	8	7	3	2	5	1	9	4
5	1	9	4	6	8	2	7	3
3	2	4	7	1	9	6	5	8
9	6	1	2	8	3	5	4	7
2	4	3	6	5	7	8	1	9
8	7	5	9	4	1	3	2	6
7	3	2	1	9	6	4	8	5
4	5	6	8	7	2	9	3	1
1	9	8	5	3	4	7	6	2

142

9	7	4	8	5	2	1	3	6
5	6	3	7	9	1	4	2	8
8	2	1	4	3	6	7	5	9
6	4	2	3	1	7	8	9	5
7	3	5	9	8	4	6	1	2
1	8	9	6	2	5	3	7	4
2	1	7	5	6	8	9	4	3
4	9	8	2	7	3	5	6	1
3	5	6	1	4	9	2	8	7

The Big Book of Su Doku

143

9	2	4	6	1	3	7	8	5
3	7	8	9	4	5	1	2	6
6	5	1	2	8	7	9	3	4
7	6	2	4	3	8	5	1	9
8	9	3	1	5	6	4	7	2
4	1	5	7	2	9	3	6	8
2	4	9	8	7	1	6	5	3
5	8	7	3	6	4	2	9	1
1	3	6	5	9	2	8	4	7

144

7	2	6	9	1	4	3	8	5
8	5	9	6	7	3	4	2	1
4	3	1	5	2	8	7	6	9
9	6	4	7	3	5	8	1	2
2	7	3	8	9	1	6	5	4
5	1	8	2	4	6	9	7	3
3	8	7	4	5	2	1	9	6
6	4	5	1	8	9	2	3	7
1	9	2	3	6	7	5	4	8

1	6	3	8	7	4	5	9	2
5	7	8	9	6	2	3	4	1
9	4	2	5	1	3	6	8	7
8	9	1	4	5	6	7	2	3
6	3	4	7	2	1	8	5	9
7	2	5	3	8	9	4	1	6
2	1	7	6	4	5	9	3	8
4	8	9	1	3	7	2	6	5
3	5	6	2	9	8	1	7	4

2	5	8	3	1	4	9	6	7
3	1	9	7	6	8	2	4	5
7	6	4	9	5	2	1	8	3
8	7	1	6	2	5	3	9	4
4	2	5	8	9	3	6	7	1
6	9	3	4	7	1	5	2	8
5	3	7	2	8	6	4	1	9
9	4	6	1	3	7	8	5	2
1	8	2	5	4	9	7	3	6

147

1	3	4	2	7	8	6	9	5
6	8	2	5	3	9	1	7	4
5	7	9	1	6	4	8	3	2
3	4	8	6	9	1	5	2	7
9	6	7	3	5	2	4	1	8
2	5	1	8	4	7	3	6	9
7	2	3	4	8	6	9	5	1
8	1	5	9	2	3	7	4	6
4	9	6	7	1	5	2	8	3

148

1	9	6	2	3	4	7	8	5
5	2	7	8	1	6	9	3	4
8	4	3	7	5	9	1	2	6
2	3	1	9	4	8	5	6	7
4	6	9	5	2	7	3	1	8
7	5	8	3	6	1	2	4	9
3	7	2	4	8	5	6	9	1
9	1	4	6	7	2	8	5	3
6	8	5	1	9	3	4	7	2

9	5	4	1	3	2	7	6	8
7	6	2	4	5	8	1	3	9
3	1	8	7	6	9	5	2	4
8	2	5	6	9	3	4	7	1
4	9	1	2	7	5	3	8	6
6	7	3	8	4	1	2	9	5
5	8	6	3	2	4	9	1	7
1	3	9	5	8	7	6	4	2
2	4	7	9	1	6	8	5	3

9	4	1	3	2	5	6	8	7
3	7	2	1	8	6	5	4	9
8	6	5	4	7	9	1	2	3
7	9	3	6	1	2	8	5	4
2	5	4	8	9	7	3	6	1
1	8	6	5	3	4	9	7	2
6	1	9	7	4	8	2	3	5
4	2	8	9	5	3	7	1	6
5	3	7	2	6	1	4	9	8

The Big Book of Su Doku

151

8	7	2	3	5	1	4	6	9
5	1	9	4	8	6	7	3	2
3	6	4	9	2	7	1	8	5
6	2	7	5	4	3	8	9	1
4	8	3	7	1	9	2	5	6
9	5	1	8	6	2	3	4	7
2	3	8	6	7	5	9	1	4
7	4	6	1	9	8	5	2	3
1	9	5	2	3	4	6	7	8

152

8	4	7	3	5	1	6	2	9
5	1	9	2	4	6	7	8	3
6	3	2	7	9	8	1	4	5
7	9	6	4	1	2	3	5	8
3	2	8	6	7	5	9	1	4
1	5	4	9	8	3	2	7	6
2	6	1	5	3	4	8	9	7
9	8	5	1	6	7	4	3	2
4	7	3	8	2	9	5	6	1

153

2	7	6	3	9	8	5	1	4
3	8	4	2	1	5	7	6	9
5	1	9	7	4	6	2	8	3
6	4	3	8	5	9	1	2	7
7	5	1	4	3	2	6	9	8
8	9	2	1	6	7	3	4	5
4	3	5	6	8	1	9	7	2
1	2	8	9	7	3	4	5	6
9	6	7	5	2	4	8	3	1

154

6	2	7	4	8	1	9	5	3
3	4	5	7	2	9	1	8	6
9	8	1	3	5	6	2	7	4
1	6	8	5	4	2	3	9	7
2	7	4	6	9	3	5	1	8
5	3	9	1	7	8	4	6	2
4	5	2	9	6	7	8	3	1
7	9	3	8	1	4	6	2	5
8	1	6	2	3	5	7	4	9

The Big Book of Su Doku

155

7	3	4	1	8	2	5	9	6
8	6	9	5	4	7	2	3	1
5	2	1	3	9	6	7	8	4
2	1	3	8	6	5	4	7	9
9	5	7	4	2	3	6	1	8
6	4	8	9	7	1	3	5	2
4	9	2	7	3	8	1	6	5
1	7	6	2	5	9	8	4	3
3	8	5	6	1	4	9	2	7

156

1	8	3	5	2	4	6	7	9
5	6	2	7	9	3	4	8	1
4	7	9	8	1	6	5	2	3
7	1	8	6	4	5	3	9	2
2	4	6	9	3	8	1	5	7
3	9	5	1	7	2	8	6	4
9	5	4	3	8	7	2	1	6
8	2	1	4	6	9	7	3	5
6	3	7	2	5	1	9	4	8

9	3	1	6	5	2	7	8	4
2	6	5	4	7	8	9	1	3
7	8	4	9	1	3	6	5	2
6	1	2	5	3	9	8	4	7
3	9	8	2	4	7	5	6	1
5	4	7	1	8	6	3	2	9
1	7	6	8	9	4	2	3	5
8	5	9	3	2	1	4	7	6
4	2	3	7	6	5	1	9	8

4	6	7	2	1	5	3	8	9
5	3	9	8	6	4	7	2	1
8	1	2	9	3	7	5	6	4
7	9	3	1	2	6	8	4	5
2	4	1	5	7	8	6	9	3
6	8	5	3	4	9	2	1	7
3	5	6	4	8	1	9	7	2
1	2	8	7	9	3	4	5	6
9	7	4	6	5	2	1	3	8

159

3	6	1	7	2	9	8	4	5
9	7	8	5	1	4	3	6	2
2	4	5	6	3	8	7	9	1
6	1	4	9	7	5	2	3	8
8	5	9	2	6	3	1	7	4
7	2	3	8	4	1	6	5	9
1	8	6	4	5	7	9	2	3
5	3	2	1	9	6	4	8	7
4	9	7	3	8	2	5	1	6

160

3	1	5	9	2	4	8	7	6
2	8	9	6	3	7	4	5	1
6	4	7	8	5	1	9	3	2
5	9	8	1	4	3	2	6	7
1	2	4	7	8	6	5	9	3
7	3	6	2	9	5	1	8	4
9	5	1	3	6	2	7	4	8
4	7	3	5	1	8	6	2	9
8	6	2	4	7	9	3	1	5

161

6	8	5	7	1	3	9	2	4
1	9	2	4	6	5	8	7	3
4	7	3	2	9	8	5	1	6
2	3	7	1	5	6	4	8	9
8	4	1	3	7	9	2	6	5
5	6	9	8	2	4	7	3	1
9	2	6	5	8	1	3	4	7
3	5	8	6	4	7	1	9	2
7	1	4	9	3	2	6	5	8

162

4	1	7	9	3	8	5	6	2
5	3	9	2	4	6	1	8	7
8	6	2	5	1	7	9	4	3
3	7	6	4	2	5	8	1	9
1	4	8	6	7	9	3	2	5
2	9	5	1	8	3	4	7	6
7	8	4	3	5	2	6	9	1
9	2	3	8	6	1	7	5	4
6	5	1	7	9	4	2	3	8

The Big Book of Su Doku

163

7	6	5	1	4	2	9	8	3
9	1	4	8	3	5	6	2	7
2	8	3	9	6	7	5	1	4
1	9	2	7	5	8	4	3	6
5	4	8	6	2	3	1	7	9
3	7	6	4	1	9	2	5	8
6	2	9	3	7	1	8	4	5
4	3	1	5	8	6	7	9	2
8	5	7	2	9	4	3	6	1

164

8	5	9	7	4	2	3	1	6
2	3	1	9	6	8	5	4	7
4	6	7	1	5	3	8	9	2
7	8	3	2	9	1	6	5	4
6	1	2	5	8	4	7	3	9
5	9	4	6	3	7	1	2	8
1	4	5	8	2	6	9	7	3
9	2	6	3	7	5	4	8	1
3	7	8	4	1	9	2	6	5

165

2	9	6	1	5	4	3	8	7
7	1	3	8	2	6	4	5	9
4	5	8	9	7	3	2	1	6
8	7	4	6	3	1	5	9	2
5	6	1	2	8	9	7	4	3
9	3	2	7	4	5	1	6	8
6	8	7	4	1	2	9	3	5
3	4	9	5	6	7	8	2	1
1	2	5	3	9	8	6	7	4

166

1	2	5	9	3	8	6	7	4
8	7	4	2	1	6	9	3	5
3	9	6	4	7	5	8	2	1
4	8	2	1	5	7	3	9	6
7	6	1	3	9	4	2	5	8
5	3	9	6	8	2	4	1	7
9	5	7	8	4	3	1	6	2
2	4	3	5	6	1	7	8	9
6	1	8	7	2	9	5	4	3

167

5	3	1	6	8	9	7	4	2
6	8	9	2	4	7	5	3	1
2	7	4	1	3	5	6	9	8
8	6	2	4	9	1	3	7	5
9	4	7	5	2	3	1	8	6
1	5	3	8	7	6	9	2	4
3	1	8	9	6	4	2	5	7
4	9	5	7	1	2	8	6	3
7	2	6	3	5	8	4	1	9

168

3	7	4	2	9	6	8	1	5
2	1	5	3	8	7	4	9	6
9	8	6	5	4	1	2	7	3
5	4	2	7	3	8	9	6	1
1	6	9	4	5	2	3	8	7
7	3	8	6	1	9	5	4	2
8	5	3	1	7	4	6	2	9
6	9	1	8	2	5	7	3	4
4	2	7	9	6	3	1	5	8

169

9	4	5	1	6	3	8	2	7
2	1	8	5	4	7	3	6	9
3	7	6	2	8	9	4	1	5
8	5	9	7	3	6	1	4	2
6	2	4	9	5	1	7	3	8
7	3	1	4	2	8	5	9	6
5	6	2	8	1	4	9	7	3
4	9	3	6	7	5	2	8	1
1	8	7	3	9	2	6	5	4

170

4	1	7	2	6	9	8	3	5
3	5	9	1	7	8	4	2	6
2	8	6	5	3	4	9	1	7
8	7	5	6	2	1	3	4	9
6	2	3	4	9	7	1	5	8
9	4	1	3	8	5	6	7	2
1	9	8	7	5	3	2	6	4
5	6	4	8	1	2	7	9	3
7	3	2	9	4	6	5	8	1

171

8	2	4	9	6	3	5	1	7
6	7	9	4	1	5	2	8	3
3	1	5	7	8	2	6	4	9
7	8	2	6	4	1	3	9	5
1	5	6	3	7	9	4	2	8
9	4	3	5	2	8	7	6	1
4	9	7	8	3	6	1	5	2
2	6	8	1	5	7	9	3	4
5	3	1	2	9	4	8	7	6

172

8	6	2	5	7	3	4	1	9
5	4	1	9	2	6	8	7	3
9	7	3	1	8	4	6	5	2
3	8	7	6	1	9	2	4	5
2	1	4	8	3	5	7	9	6
6	9	5	7	4	2	3	8	1
7	5	8	2	6	1	9	3	4
1	3	6	4	9	8	5	2	7
4	2	9	3	5	7	1	6	8

173

2	3	8	7	9	6	1	5	4
1	7	5	4	8	2	3	9	6
4	9	6	1	3	5	2	8	7
3	1	4	6	5	8	7	2	9
8	5	9	2	7	4	6	3	1
7	6	2	9	1	3	8	4	5
5	4	3	8	6	1	9	7	2
6	2	7	3	4	9	5	1	8
9	8	1	5	2	7	4	6	3

174

5	3	1	9	6	8	7	2	4
6	7	9	2	4	1	8	3	5
4	8	2	7	3	5	6	1	9
2	4	7	8	5	6	1	9	3
8	9	3	4	1	7	5	6	2
1	6	5	3	9	2	4	8	7
7	5	6	1	2	9	3	4	8
9	1	4	5	8	3	2	7	6
3	2	8	6	7	4	9	5	1

175

1	2	4	3	8	6	9	7	5
5	6	7	1	9	2	3	8	4
9	3	8	5	7	4	6	1	2
7	8	3	6	5	9	2	4	1
2	1	5	4	3	7	8	9	6
6	4	9	2	1	8	7	5	3
4	9	2	8	6	1	5	3	7
8	5	1	7	2	3	4	6	9
3	7	6	9	4	5	1	2	8

176

2	6	1	3	4	5	7	9	8
4	3	9	6	8	7	2	1	5
5	8	7	2	9	1	6	3	4
7	5	2	9	6	4	1	8	3
3	1	4	5	7	8	9	6	2
8	9	6	1	2	3	4	5	7
6	7	3	4	5	9	8	2	1
1	2	8	7	3	6	5	4	9
9	4	5	8	1	2	3	7	6

1	4	9	5	2	3	6	8	7
2	3	5	7	8	6	1	4	9
6	7	8	4	1	9	2	5	3
8	9	4	1	5	2	7	3	6
3	1	6	9	4	7	8	2	5
5	2	7	3	6	8	9	1	4
9	8	3	2	7	5	4	6	1
7	6	1	8	3	4	5	9	2
4	5	2	6	9	1	3	7	8

5	1	4	2	7	8	9	3	6
6	3	2	9	4	5	1	7	8
8	7	9	3	1	6	2	4	5
2	5	6	4	3	1	8	9	7
9	4	7	8	5	2	3	6	1
3	8	1	7	6	9	4	5	2
7	6	3	1	8	4	5	2	9
4	2	8	5	9	7	6	1	3
1	9	5	6	2	3	7	8	4

179

5	7	6	2	8	9	4	3	1
8	1	4	7	6	3	2	9	5
9	2	3	5	4	1	8	6	7
1	6	8	9	5	2	7	4	3
7	3	2	4	1	6	5	8	9
4	9	5	3	7	8	6	1	2
6	4	7	1	9	5	3	2	8
2	8	9	6	3	7	1	5	4
3	5	1	8	2	4	9	7	6

180

9	4	5	6	3	1	2	8	7
3	8	1	7	2	4	6	9	5
2	6	7	9	5	8	3	4	1
6	1	8	2	4	9	5	7	3
4	5	2	3	1	7	9	6	8
7	3	9	8	6	5	4	1	2
8	2	4	1	9	3	7	5	6
5	7	3	4	8	6	1	2	9
1	9	6	5	7	2	8	3	4

181

2	9	4	6	3	7	5	8	1
7	3	6	5	1	8	4	9	2
8	1	5	2	4	9	7	3	6
3	5	9	4	6	2	8	1	7
6	2	8	1	7	3	9	5	4
1	4	7	8	9	5	6	2	3
9	7	2	3	5	6	1	4	8
5	8	1	7	2	4	3	6	9
4	6	3	9	8	1	2	7	5

182

2	8	3	9	7	6	1	4	5
7	1	5	4	8	3	6	2	9
6	9	4	5	2	1	7	3	8
5	2	7	1	4	9	8	6	3
3	6	9	8	5	2	4	7	1
1	4	8	6	3	7	5	9	2
9	3	1	7	6	5	2	8	4
4	5	6	2	9	8	3	1	7
8	7	2	3	1	4	9	5	6

183

2	1	4	3	9	7	5	6	8
6	5	3	8	4	1	2	9	7
8	9	7	2	5	6	4	1	3
4	3	5	1	8	2	6	7	9
1	2	9	6	7	5	3	8	4
7	6	8	4	3	9	1	2	5
5	8	1	7	2	3	9	4	6
3	4	6	9	1	8	7	5	2
9	7	2	5	6	4	8	3	1

184

3	8	4	7	5	2	9	1	6
5	2	6	1	3	9	7	4	8
7	9	1	8	4	6	3	5	2
9	4	7	3	8	1	2	6	5
6	3	2	4	9	5	1	8	7
8	1	5	2	6	7	4	9	3
2	7	8	6	1	4	5	3	9
4	5	3	9	2	8	6	7	1
1	6	9	5	7	3	8	2	4

185

4	6	8	9	7	5	1	2	3
3	7	5	2	1	6	8	4	9
9	2	1	8	4	3	7	6	5
2	5	7	1	8	9	4	3	6
8	9	6	7	3	4	5	1	2
1	3	4	5	6	2	9	7	8
5	4	2	3	9	1	6	8	7
7	1	3	6	5	8	2	9	4
6	8	9	4	2	7	3	5	1

186

9	6	3	5	7	1	8	4	2
5	4	7	2	6	8	9	1	3
2	1	8	9	4	3	6	7	5
1	8	5	7	2	9	4	3	6
6	7	9	3	1	4	5	2	8
3	2	4	8	5	6	1	9	7
7	9	2	4	8	5	3	6	1
4	5	1	6	3	2	7	8	9
8	3	6	1	9	7	2	5	4

187

7	4	9	5	2	3	6	8	1
2	5	3	8	6	1	7	9	4
1	6	8	9	7	4	2	5	3
6	8	2	7	4	9	1	3	5
4	1	7	3	5	8	9	2	6
9	3	5	2	1	6	4	7	8
5	9	6	1	8	2	3	4	7
3	7	4	6	9	5	8	1	2
8	2	1	4	3	7	5	6	9

188

9	6	1	3	2	4	5	7	8
4	7	5	1	6	8	9	3	2
8	2	3	9	5	7	1	4	6
2	4	6	8	1	5	3	9	7
5	9	8	7	4	3	2	6	1
1	3	7	6	9	2	4	8	5
3	5	2	4	7	6	8	1	9
6	8	9	2	3	1	7	5	4
7	1	4	5	8	9	6	2	3

189

5	9	3	8	2	4	1	6	7
4	1	7	3	9	6	5	8	2
6	2	8	1	5	7	4	9	3
7	8	5	2	4	9	3	1	6
2	4	1	6	8	3	7	5	9
3	6	9	7	1	5	8	2	4
8	5	4	9	7	2	6	3	1
1	3	2	4	6	8	9	7	5
9	7	6	5	3	1	2	4	8

190

1	6	9	3	5	4	8	2	7
4	2	8	9	7	6	3	5	1
3	5	7	2	1	8	6	4	9
5	3	1	6	2	9	7	8	4
9	8	4	5	3	7	2	1	6
2	7	6	8	4	1	5	9	3
7	9	3	4	8	2	1	6	5
8	4	5	1	6	3	9	7	2
6	1	2	7	9	5	4	3	8

F	7	B	3	E	8	A	4	1	0	C	6	2	9	5	D
2	9	1	A	F	6	0	3	8	5	D	7	E	4	B	C
0	5	8	6	9	C	D	7	4	B	2	E	A	F	3	1
4	C	D	E	1	2	5	B	9	3	A	F	7	8	6	0
E	0	5	B	3	4	2	F	6	7	8	9	D	1	C	A
1	4	A	8	B	D	C	6	0	E	F	5	9	3	7	2
3	2	9	F	7	5	1	E	D	C	B	A	6	0	4	8
D	6	7	C	A	0	9	8	3	2	4	1	B	E	F	5
9	B	E	D	2	1	3	0	C	8	6	4	F	5	A	7
8	F	4	5	6	9	E	A	7	D	1	2	C	B	0	3
6	A	C	0	8	7	4	5	B	F	E	3	1	2	D	9
7	3	2	1	D	B	F	C	5	A	9	0	4	6	8	E
5	8	F	9	C	A	6	1	2	4	0	D	3	7	E	B
A	1	3	7	4	F	B	D	E	9	5	8	0	C	2	6
B	D	0	2	5	E	7	9	F	6	3	C	8	A	1	4
C	E	6	4	0	3	8	2	A	1	7	B	5	D	9	F

C	4	A	1	5	F	7	B	6	3	8	D	0	E	9	2
8	D	B	E	4	9	2	3	0	A	F	C	1	6	5	7
6	2	9	5	C	D	8	0	7	1	E	B	F	A	3	4
3	0	7	F	6	E	A	1	4	5	2	9	D	B	C	8
D	3	8	9	0	B	6	C	5	E	1	4	A	2	7	F
7	1	2	C	A	4	3	9	D	8	B	F	E	5	0	6
4	A	F	6	2	1	5	E	C	0	7	3	9	D	8	B
B	5	E	0	D	8	F	7	9	2	6	A	C	3	4	1
A	8	6	3	1	7	C	D	2	9	5	E	B	4	F	0
E	B	5	7	3	0	4	6	8	F	A	1	2	9	D	C
1	9	C	4	B	2	E	F	3	D	0	6	8	7	A	5
0	F	D	2	8	5	9	A	B	C	4	7	6	1	E	3
5	6	1	A	7	C	D	2	F	4	9	8	3	0	B	E
9	E	4	8	F	3	0	5	1	B	D	2	7	C	6	A
F	7	3	B	9	A	1	4	E	6	C	0	5	8	2	D
2	C	0	D	E	6	B	8	A	7	3	5	4	F	1	9

0	1	9	6	3	E	C	D	A	4	8	5	2	F	7	B
3	C	E	4	8	2	F	9	B	D	7	1	5	A	6	0
5	8	2	B	1	A	7	4	6	0	F	3	C	9	D	E
D	A	7	F	5	6	0	B	C	2	9	E	3	1	8	4
8	2	4	3	9	B	D	7	1	F	E	6	A	C	0	5
A	E	0	7	F	5	6	C	D	9	2	B	8	3	4	1
F	D	B	1	4	3	8	2	0	5	A	C	7	E	9	6
6	9	C	5	E	1	A	0	4	7	3	8	F	2	B	D
2	F	1	8	7	0	9	5	3	E	D	4	6	B	A	C
C	3	6	D	2	8	4	A	7	B	1	0	E	5	F	9
4	0	A	E	B	C	1	3	F	6	5	9	D	8	2	7
B	7	5	9	D	F	E	6	2	8	C	A	4	0	1	3
E	5	F	C	6	7	2	1	9	A	0	D	B	4	3	8
1	B	D	0	A	4	3	E	8	C	6	2	9	7	5	F
9	4	8	A	0	D	5	F	E	3	B	7	1	6	C	2
7	6	3	2	C	9	B	8	5	1	4	F	0	D	E	A

F	8	6	4	E	A	7	3	C	B	D	1	9	0	5	2
A	5	B	C	0	4	1	F	9	6	2	3	D	7	E	8
0	E	7	2	8	D	6	9	F	A	4	5	3	1	C	B
3	9	D	1	B	5	2	C	0	7	E	8	F	6	A	4
6	2	1	B	4	E	5	A	8	3	7	D	C	9	F	0
D	F	0	8	3	7	C	B	2	5	6	9	E	4	1	A
5	3	9	E	6	1	F	D	A	C	0	4	8	2	B	7
4	C	A	7	9	0	8	2	E	1	F	B	6	3	D	5
2	B	C	D	A	9	E	1	7	F	8	0	4	5	3	6
9	6	F	A	2	3	B	7	5	4	1	C	0	E	8	D
8	7	4	3	F	6	0	5	B	D	9	E	1	A	2	C
1	0	E	5	C	8	D	4	3	2	A	6	B	F	7	9
C	1	5	6	7	F	9	8	4	E	B	A	2	D	0	3
B	D	8	F	1	2	3	0	6	9	5	7	A	C	4	E
E	4	2	0	5	C	A	6	D	8	3	F	7	B	9	1
7	A	3	9	D	B	4	E	1	0	C	2	5	8	6	F

8	C	A	B	E	3	0	9	F	D	7	6	4	5	1	2
4	9	1	E	F	5	6	7	2	C	B	8	0	3	D	A
3	0	2	6	4	C	D	B	A	9	5	1	E	8	F	7
F	7	5	D	A	8	2	1	E	3	0	4	9	6	C	B
B	A	F	3	0	7	E	4	C	6	8	9	2	1	5	D
1	6	8	4	D	9	B	5	3	0	2	E	7	F	A	C
2	E	9	7	3	A	F	C	D	1	4	5	6	B	0	8
C	D	0	5	6	2	1	8	7	F	A	B	3	9	4	E
7	2	E	A	5	D	C	6	9	4	F	3	8	0	B	1
0	1	C	9	7	F	3	2	8	B	E	D	5	A	6	4
5	B	6	F	8	E	4	A	1	2	C	0	D	7	3	9
D	3	4	8	1	B	9	0	5	7	6	A	C	E	2	F
A	5	3	2	C	1	7	D	0	8	9	F	B	4	E	6
9	4	7	C	B	0	5	F	6	E	1	2	A	D	8	3
E	8	B	1	2	6	A	3	4	5	D	7	F	C	9	0
6	F	D	0	9	4	8	E	B	A	3	C	1	2	7	5

1	C	5	0	E	6	F	A	4	7	2	9	3	D	B	8
9	7	A	2	0	1	8	3	6	B	E	D	4	F	5	C
D	8	F	4	C	7	B	2	A	5	1	3	6	E	0	9
3	E	6	B	9	5	D	4	0	F	8	C	2	7	1	A
5	2	3	8	F	D	0	7	C	A	4	E	9	1	6	B
E	F	1	6	A	3	9	B	2	8	5	7	C	0	D	4
7	B	D	C	1	4	2	6	3	0	9	F	A	5	8	E
4	0	9	A	8	C	E	5	D	1	B	6	F	3	2	7
C	A	B	1	D	8	4	F	7	E	6	0	5	9	3	2
2	5	4	F	6	E	3	1	9	C	D	8	B	A	7	0
6	3	E	9	7	B	5	0	1	2	F	A	8	4	C	D
8	D	0	7	2	A	C	9	B	4	3	5	1	6	E	F
F	6	8	D	4	0	1	C	5	9	7	B	E	2	A	3
A	1	2	3	B	9	7	D	E	6	C	4	0	8	F	5
B	4	7	E	5	2	A	8	F	3	0	1	D	C	9	6
0	9	C	5	3	F	6	E	8	D	A	2	7	B	4	1

B	A	D	6	3	1	7	E	C	2	F	0	8	5	4	9
9	3	8	2	B	4	C	A	6	E	D	5	1	F	7	0
5	4	7	C	F	0	D	8	3	B	1	9	A	2	6	E
1	0	E	F	6	9	5	2	A	7	8	4	D	B	C	3
2	B	1	E	0	A	8	F	D	4	5	7	6	3	9	C
0	9	A	7	5	D	2	4	E	6	3	C	B	8	F	1
D	5	C	8	E	6	9	3	1	F	0	B	7	4	A	2
6	F	4	3	1	7	B	C	9	8	2	A	0	E	5	D
E	2	B	4	C	5	6	0	8	D	7	3	F	9	1	A
3	D	5	A	7	8	F	9	4	1	B	E	C	0	2	6
C	7	6	0	4	3	1	B	2	A	9	F	5	D	E	8
8	1	F	9	A	2	E	D	0	5	C	6	3	7	B	4
7	E	9	D	2	F	3	1	B	C	6	8	4	A	0	5
F	8	2	5	9	C	4	6	7	0	A	D	E	1	3	B
4	6	0	1	8	B	A	5	F	3	E	2	9	C	D	7
A	C	3	B	D	E	0	7	5	9	4	1	2	6	8	F

4	2	C	E	0	3	1	5	7	F	B	D	A	6	8	9
0	3	D	9	B	6	F	C	4	A	1	8	7	2	5	E
1	F	6	B	8	A	7	E	9	C	2	5	3	D	4	0
8	5	A	7	D	4	9	2	0	3	E	6	B	1	F	C
3	4	2	A	9	0	6	1	F	E	D	7	C	8	B	5
7	E	0	6	5	F	8	B	C	4	9	2	1	3	D	A
D	C	F	8	A	E	2	7	B	1	5	3	9	0	6	4
9	B	1	5	C	D	4	3	6	0	8	A	2	F	E	7
B	7	9	F	6	C	E	D	3	2	A	0	5	4	1	8
2	6	4	C	1	8	3	9	D	5	7	E	0	B	A	F
A	0	8	3	2	B	5	4	1	6	C	F	E	9	7	D
5	D	E	1	F	7	0	A	8	9	4	B	6	C	2	3
6	1	7	4	3	2	A	F	5	8	0	C	D	E	9	B
F	9	B	D	E	5	C	0	2	7	6	4	8	A	3	1
E	8	3	0	7	9	D	6	A	B	F	1	4	5	C	2
C	A	5	2	4	1	B	8	E	D	3	9	F	7	0	6

B	0	A	1	8	2	E	4	3	9	F	7	6	C	5	D
6	9	4	2	C	A	F	7	0	D	5	B	1	8	3	E
E	C	7	5	B	6	D	3	2	A	1	8	F	0	4	9
F	D	3	8	9	1	5	0	6	C	E	4	B	7	2	A
2	E	9	A	5	C	6	1	B	F	3	0	8	4	D	7
7	3	D	B	F	E	0	9	8	4	6	2	A	5	C	1
4	F	0	C	7	8	A	D	1	5	9	E	3	6	B	2
5	1	8	6	4	3	2	B	C	7	A	D	E	9	0	F
1	5	2	E	D	F	3	C	9	6	7	A	0	B	8	4
8	A	6	3	E	4	9	2	5	0	B	1	7	D	F	C
D	B	C	9	A	0	7	6	E	8	4	F	5	2	1	3
0	4	F	7	1	5	B	8	D	2	C	3	9	A	E	6
9	2	5	4	3	D	1	F	A	B	0	6	C	E	7	8
3	6	1	0	2	B	4	A	7	E	8	C	D	F	9	5
A	8	E	F	0	7	C	5	4	3	D	9	2	1	6	B
C	7	B	D	6	9	8	E	F	1	2	5	4	3	A	0

0	2	F	A	6	B	5	D	8	1	E	4	3	9	C	7
3	B	E	6	C	9	8	F	7	0	5	A	1	D	2	4
5	1	D	9	E	7	4	0	C	3	2	B	8	6	F	A
8	7	C	4	A	2	3	1	F	9	6	D	5	B	0	E
9	3	4	7	D	E	2	C	5	A	0	1	6	8	B	F
D	A	8	E	5	4	1	7	6	B	C	F	0	3	9	2
B	C	1	F	8	0	9	6	D	2	3	E	7	A	4	5
2	0	6	5	B	F	A	3	4	7	8	9	E	C	D	1
E	F	7	D	3	5	6	9	B	8	1	2	4	0	A	C
A	4	5	C	0	8	E	2	9	6	F	3	D	7	1	B
1	8	B	3	F	D	7	A	E	C	4	0	2	5	6	9
6	9	0	2	4	1	C	B	A	5	D	7	F	E	3	8
C	E	2	B	1	6	0	8	3	F	9	5	A	4	7	D
4	6	A	8	7	3	F	5	2	D	B	C	9	1	E	0
F	D	3	0	9	A	B	4	1	E	7	8	C	2	5	6
7	5	9	1	2	C	D	E	0	4	A	6	B	F	8	3